CB036656

A(S) INDISCIPLINA(S) NA ESCOLA
– COMPREENDER PARA PREVENIR

JOÃO DA SILVA AMADO
Professor da Universidade de Coimbra

ISABEL PIMENTA FREIRE
Professora da Universidade de Lisboa

A(S) INDISCIPLINA(S) NA ESCOLA – COMPREENDER PARA PREVENIR

ALMEDINA

A(S) INDISCIPLINA(S) NA ESCOLA
- COMPREENDER PARA PREVENIR

AUTORES
JOÃO DA SILVA AMADO
ISABEL PIMENTA FREIRE

EDITOR
EDIÇÕES ALMEDINA, SA
Av. Fernão Magalhães, n.° 584, 5.° Andar
3000-174 Coimbra
Tel.: 239 851 904
Fax: 239 851 901
www.almedina.net
editora@almedina.net

PRÉ-IMPRESSÃO | IMPRESSÃO | ACABAMENTO
G.-C. GRÁFICA DE COIMBRA, LDA.
Palheira – Assafarge
3001-453 Coimbra
producao@graficadecoimbra.pt

Janeiro, 2009

DEPÓSITO LEGAL
287383/09

Os dados e as opiniões inseridos na presente publicação
são da exclusiva responsabilidade do(s) seu(s) autor(es).

Toda a reprodução desta obra, por fotocópia ou outro qualquer
processo, sem prévia autorização escrita do Editor, é ilícita
e passível de procedimento judicial contra o infractor.

Biblioteca Nacional de Portugal – Catalogação na Publicação

AMADO, João da Silva, 1948-   , e outro

A(s) Indisciplina(s) na Escola: compreender para
prevenir / João da Silva Amado, Isabel Pimenta
Freire. – (Psicologia)

ISBN 978-972-40-3750-9

I – FREIRE, Isabel Pimenta, 1953-

CDU 371
316

INTRODUÇÃO

«Se eu ordenasse a um general que se transformasse num pássaro, e se o general não obedecesse, a culpa não era do general. A culpa era minha» (SAINT-EXUPÉRY, in "O principezinho").

Na escola, como em qualquer organização social, os conceitos de disciplina e de indisciplina estão associados à necessidade dos seus membros se regerem por normas e regras de conduta e de funcionamento que facilitem quer a integração de cada pessoa no grupo-classe e na organização escolar em geral, quer a convivência social decorrente da definição de um quadro de expectativas que tornem os comportamentos previsíveis. Para além, portanto, de uma forte conotação com princípios reguladores da vida no quadro da organização escolar, os conceitos de disciplina e de indisciplina possuem, também, uma dimensão que os aproxima das problemáticas da cidadania, do saber estar com os outros, do respeito mútuo, da capacidade de autocontrolo que permita não pôr em causa a liberdade dos outros... Estes aspectos conferem àqueles conceitos um carácter polissémico fazendo depender o seu sentido dos contextos sociais e do quadro de valores que regula, aos mais diversos níveis, a vida quotidiana.

Para além desta polissemia há que ter em conta a amplitude desses conceitos, inscrevendo no seu interior uma grande diversidade de fenómenos e, por isso mesmo, exigindo também que se convoquem múltiplos factores para a sua integral compreensão e para uma intervenção fundamentada na análise da realidade. Estamos, pois, diante de um fenómeno de grande complexidade, que exige serenidade e rigor na sua análise, o que nem sempre é fácil, dado o envolvimento muito pessoal e, por vezes, emotivo, dos intervenientes, a que se junta o alarido provocado pelos meios de comunicação, ávidos de sensacionalismo e para quem pouco contam, como notícia, as boas práticas observáveis em muitas escolas e salas de aula.

O presente texto, revisão e actualização de um outro publicado há alguns anos pelas edições ASA (Amado e Freire, 2002), foi precedido por muitas horas de investigação realizada pelos seus autores, precisamente, nos diversos contextos escolares (observando aulas, conversando com alunos e professores, inquirindo dos mais diversos modos), e de que resultaram trabalhos académicos (Amado, 1998, Freire, 2001) e diversas publicações que aqui serão amplamente invocadas como fundamento e como prolongamento do que se afirma; mas este texto resulta, também, da experiência dos seus autores em diferentes níveis de ensino e no domínio da formação de professores (inicial e contínua), bem como de uma constante preocupação pela integração produtiva da teoria e da prática. De todos esses antecedentes resultou, além do conteúdo, o estilo em que foi escrito, procurando dar tanta importância à interpretação dos factos, à citação do texto teórico, como à voz de alunos e professores.

Atendendo à diversidade de comportamentos abrangidos pelos conceitos em causa, e na sequência de publicação anterior (Amado, 2001), partimos da distinção de três «níveis de indisciplina», a que, neste trabalho, faremos corresponder, respectivamente, cada uma das três primeiras partes; desse modo, a primeira parte, corresponderá a uma análise do que designamos por *«desvio às regras de trabalho na aula»,* em que procuramos caracterizar, fundamentalmente, os seus factores e as suas funções. Na segunda parte, falaremos da «*indisciplina perturbadora das relações entre pares*», dando uma especial atenção ao fenómeno dos maus tratos entre iguais. A terceira parte consistirá numa reflexão sobre «*problemas da relação professor-aluno*», muito especialmente nos que se traduzem em confrontos, por vezes *stressantes* e dolorosos; reflectiremos, tal como nas partes anteriores, sobre os factores dominantes e sobre as «funções» destes comportamentos.

Nas restantes partes, procurámos dar ao texto um carácter mais prático, com o objectivo de oferecer ao leitor uma panóplia muito alargada de sugestões e de orientações para a actuação, individual e colectiva, sobretudo ao nível da aula e da escola.

Desejamos que esta edição, à semelhança da edição anterior, seja, de facto, útil a todos quantos reconhecem a importância da criação de um ambiente, nas nossas escolas, em que o ensino e a aprendizagem que aí deve ter lugar, seja, ao mesmo tempo, um diálogo intergeracional e profícuo sobre o património cultural da humanidade, e uma prática de formação cívica norteada pelos valores da liberdade, do respeito pelos outros e da responsabilidade pela casa colectiva (a Escola, o País e o Mundo).

I PARTE

O DESVIO ÀS REGRAS DE TRABALHO NA AULA

1.° NÍVEL DE INDISCIPLINA

DESVIO ÀS REGRAS DE TRABALHO NA AULA

Consideramos aqui aquele tipo de comportamentos que, na sua essência, se traduz no incumprimento de regras necessárias ao adequado desenrolar da aula; dito de outro modo, trata-se do incumprimento de um conjunto de «exigências instrumentais» que enquadram as actividades dentro do espaço da aula, impedindo ou dificultando a obtenção dos objectivos de ensino-aprendizagem, («subsistema produtivo»), traçados para esse espaço-tempo social e pedagógico.

O carácter de «indisciplina» é imputado a estes comportamentos em virtude da «perturbação» que causam ao «bom funcionamento» da aula (como já se disse) e, por não estarem de acordo com uma espécie de «compromisso», quase sempre tácito, que «obriga» os alunos a cumprirem os «rituais» e a empenharem-se nas actividades propostas pelo professor. Daremos conta deste tipo de comportamentos, de uma morfologia muito variada, quer ao falarmos das regras que eles infringem, quer ao falarmos das situações em que eles mais se verificam, quer, ainda, ao considerarmos os seus factores e as suas funções no quadro das interacções na aula.

1.1. *AS REGRAS DA AULA*

Sabemos que muitas das regras e valores que estes comportamentos infringem fazem parte da «cultura da escola»; após um curto período inicial de escolarização crê-se (e espera-se) que estão interiorizados pelos alunos. Devido a esta crença, raramente são explicitados, a não ser nos discursos rituais do início do ano, de iniciativa de muitos professores, logo mesmo na aula de «apresentação». A análise desses discursos, bem como a atenção ao modo como os professores assinalam as infracções no decorrer das aulas, são, com efeito, duas vias fundamentais para a investigação e identificação das regras mais comuns. Amado (1998), reconstituindo esse discurso através do relato de alunos e professores, não só identifica essas regras como, também, dá conta dos valores (*subsistema axiológico*) que o professor procura sejam a base estruturante da vivência colectiva na aula.

Quanto aos valores, notou o autor que a exigência de *respeito* pelo professor e pelos colegas é constante; o seguinte testemunho de um aluno é disso um indicador: «*...sim o nosso setor, o que insistiu foi o respeito ... nós por ele e ele por nós... ele disse: se nós nos respeitarmos todos... mutuamente... ele também faz isso... (...) O que ele queria era respeito... não se importava de mais nada...*» (aluno do 7.° ano). O *respeito* aparece, pois, como o «eixo fulcral» de exigências, normas e regras da convivência na aula, de acordo, aliás, com o que outras investigações têm concluído (Estrela, 1995). Como diz Hammersley (1976: 109), «o respeito é simultaneamente parte de uma competência cultural que se espera que o professor inculque nos seus alunos e uma exigência essencial para o exercício de controlo sobre os alunos. Inculcando e reforçando o que eles consideram ser a atitude própria para com a "autoridade", os professores estão também empenhados na tarefa crucial de estabelecer e de manter a base do seu próprio controlo sobre os alunos».

Apesar de podermos colocar a exigência do respeito, na esfera de um «subsistema axiológico», e por isso a resguardo de arbitrariedades e de convencionalismo, na prática nem sempre estamos diante de uma exigência clara, uma vez que ela tem de se traduzir em comportamentos susceptíveis de serem avaliados de forma desigual pelos diversos professores da turma. A falta de "consistência" que se nota nos professores em torno desta questão é patente neste excerto de entrevista mantida com um grupo de alunos do 7.° ano:

E: Mas os maus entendimentos resumiram-se a isso?

Romeu: É que cada professor tem um entender da relação aluno/ /professor e, por exemplo, o stor de (...) ficou muito... não gostou do Eduardo ter dito Tchau...

Luís: É uma falta de respeito.

Romeu: Mas o professor de (...) quando nós dizemos: "Adeus stor. Até à próxima aula", ele diz: "Tchau.". Aí é que nós não sabemos onde é

que ficamos, porque se nós agora formos estudar como é que cada professor quer que o tratemos, vamos ver que cada um tem a sua maneira.
E: Cada um tem a sua maneira. E isso provoca-vos confusão?
Vários: Imensa confusão.
E: No princípio do ano talvez, não é?
Luis: Não estamos habituados.

Pode também dar-se o caso de um desencontro entre o modo de pensar a «boa educação» por parte dos alunos (já que os valores que eles trazem para a escola dependem muitos dos contextos culturais de origem) e o modo como a pensam alguns professores (cf. Shwab *et al.*, 2007); os dois testemunhos que se seguem, relativos às exigências e regras de uma professora, consistem em passagens de composições a alunos do 8.° ano sobre o "primeiro dia de aulas" (Amado, 1998). No primeiro testemunho, a aluna exprime grande estranheza perante tais exigências:

Todos os outros setores disseram o mesmo /no primeiro dia de aulas/ mas a que mais se distinguiu foi a setora (...). Quis também que nós nos sentássemos com os pés no chão (ela lá esteve a exemplificar), com as costas direitas e sempre com a caneta na mão, porque podia ser necessária a qualquer momento. Umas aulas mais tarde disse também, porque já nos tinha visto a fazer, que não queria que nos sentássemos nos corredores, o que seria o cúmulo para todos nós, às 8,30 da manhã, não nos deixar sentar ou sequer encostar às paredes do corredor. Se pode dizer que esta setora não tem ponta por onde se pegue: isto dito por todos os alunos da turma (8.°E).

No segundo testemunho, da autoria de um outro aluno da mesma turma, para além de se exprimir estranheza perante tais regras, aponta-se também a incoerência da professora que exige a «boa educação» por um lado, mas transgride os seus princípios, por outro:

A professora que mais me marcou foi a de (...), é para mim a mais exigente e dura: "Não quero que se sentem nos corredores, porque quando chega um professor vocês devem estar de pé e cumprimentá-lo, é uma regra da boa educação" – palavras da professora ao ver-nos sentados; na consequência deste tema iniciou-se um debate e a professora "Mestra da boa educação", quando um colega meu estava a falar com ela, ela virou-lhe as costas e iniciou a aula; meus meninos, quando eu falo vocês ouvem-me"?! (8.°E)

Parece-nos importante invocar aqui estes testemunhos porque eles expressam as contradições existentes, com frequência, entre os subsistemas «axiológico» e «normativo», contradições que tanto se podem manifestar no facto de o professor nem sempre agir em coerência com o que impõe ou apregoa, como no facto de que «alunos e os professores nem sempre estão de acordo sobre o que deve ser a educação e sobre os papéis que uns e outros devem desempenhar» (Hammersley, 1976: 110).

Quanto às regras de trabalho, referentes ao «subsistema produtivo» de que fala Estrela (1986), apesar de alguma variabilidade bem observada pelos alunos, de professor para professor (*«... depende das setoras, algumas impõem umas regras, outras impõem outras»* – aluno, 7.° ano), há também um núcleo de exigências mais ou menos comuns e habituais, implícitas ou explicitas, destinadas a regular a vida na aula e na instituição escolar, que tem por objecto o controlo da *palavra*, da *relação*, do *corpo*, do *espaço* e do *tempo de execução das tarefas*. Note-se uma surpreendente semelhança (ainda que o espírito já possa estar muito distante, e salvaguardando, portanto, as devidas diferenças) com o que se exigia, já no século XVII, não só nas escolas mas também nas fábricas e nas prisões, como o demonstrou Foucault (1987)! Em tais «sistemas disciplinares» recorria-se a um «mecanismo penal» próprio, com leis, delitos e sanções específicas que se exerciam sobre um conjunto de dimensões: o tempo, a maneira de ser, o corpo e a sexualidade. Esta persistência das regras e dos objectos sobre os quais elas incidem e esta "universalidade" testemunhada na investigação de outros autores (Hargreaves *et al.*, 1975), revelam uma espécie de código sagrado e imutável da cultura escolar, que dificulta o vingar de qualquer outra ideia de escola e de escolarização.

Como dissemos, para além do discurso inicial, um observador atento tem muitas outras oportunidades para dar conta das regras que vigoram na escola: nas próprias aulas, sobretudo quando a estratégia de correcção usada pelos professores consiste na sua explicitação; nas entrevistas formais e informais a professores; nas conversas de sala de professores, nas reuniões, especialmente quando alguém tenta lançar um debate na procura de consensos. As notas que a seguir se transcrevem, observadas e registadas num Conselho de Turma (Amado, 1998), são paradigmáticas no que respeita à posição dos professores quanto à busca de consensos em torno destas regras:

> *«A Directora de Turma voltou a insistir nas estratégias comuns e diz* ***que uma das estratégias é a exigência da pontualidade (...). Em exercícios ou testes, os que acabam mais cedo pedem para sair, mas não devem deixar-se sair.*** *O professor de Matemática replicou, "Bom, nessa altura ficam a perturbar e a ajudar os outros.". A Directora de Turma responde* ***que é necessário uniformizar a atitude.*** *A Professora de IAE diz "Não. Eu deixo sair e vou deixar continuar a sair". A Professora de História replica: "Mas não pode ser assim.* ***Temos que tentar encontrar algumas regras em comum (...).*** *O Professor de Matemática diz: "Bom, se eles tiverem de ficar na aula, então temos de trazer alguma coisa para eles fazerem, quanto mais não seja fazer croché!". A Professora Directora de Turma retomou o assunto sintetizando:* ***"Há duas posições contrárias. Temos de chegar a um acordo; cada um tem de se responsabilizar pelo que acontecer!*** *Não temos, então que, encontrar neste aspecto, uma estratégia comum." A Professora de História acrescenta:* ***"Mas isso baralha muito os alunos!"****, e a Directora de Turma diz: "Bom, tenho que os informar que não se chegou a um acordo nesse sentido!". A Professora de Inglês do segundo nível diz:* ***"Os professores têm que ser iguais uns aos outros? Hoje aponta-se para um ensino individualizado e temos que uniformizar os professores?".*** *A Directora de Turma responde então:* ***"O Professor está numa posição muito delicada. Em caso de acidente, se eles nos quiserem pôr os pés em cima, põem. Temos que nos precaver.*** *Quem considera que os alunos podem sair só quando tocar levanta o dedo" – (por votação esta foi a proposta maioritária».*

Nestas notas de campo damos conta do nascimento e da institucionalização de uma regra que se pretende consensual entre os professores: «*terminados os exercícios os alunos devem manter-se nos seus lugares*». É interessante verificar o tipo de argumentação; contra a regra, coloca-se o problema do controlo de alunos que, feito o exercício, ficam desocupados; e ainda, a necessidade de dar alguma margem de liberdade e de responsabilidade individual ao professor. A favor da regra, a «posição delicada do professor» que, em caso de acidente, pode não ter meio de se defender. A *função da regra* surge claramente como uma espécie de «tábua de salvação» para o professor, comprometido entre a desocupação, e consequente indisciplina do aluno, e os constrangimentos institucionais da sua acção; surge também como instrumento de orientação prática do aluno, pelo que, em muito casos, ela configura verdadeiros rituais de interacção, assinalando o lugar e os papéis de cada interveniente. Por outro lado, o *carácter arbitrário desta regra* (e, por extensão, de muitas outras) está patente na argumentação e no modelo «democrático» de tomada de decisão adoptado pelos professores.

Enfim, diante de um conjunto de depoimentos e registos deste género é possível elaborar uma listagem exemplificativa, mas não exaustiva, das principais regras e dos seus principais alvos, como a que se expressa no quadro seguinte:

QUADRO 1.1. – *As regras na aula*

Regras	*Alvo das regras*
Não faltar às aulas – Assiduidade	*Tarefa*
Ser pontual	Tempo
Entrar ordeiramente na aula	*Corpo*
Trazer livro e caderno	*Tarefa*
Ocupar lugar próprio	*Corpo*
Permanecer em silêncio/ /Não perturbar/Portar-se bem/ /Não falar	*Comunicação-corpo*
Pedir a palavra- levantar o dedo	*Comunicação-corpo*
Participar ordenadamente	*Comunicação-tarefa*
Ouvir os outros	*Comunicação-relação*
Não gozar	*Relação*
Não mascar chicletes	*Corpo*
Respeitar material	*Tarefa-relação*
Limpar a sala	*Tarefa*
Fazer os deveres/estudar	*Tarefa*

Verifica-se, observando o quadro, que o alvo destas regras é quase invariavelmente:

- a *comunicação*: proíbe-se a generalidade das "interacções horizontais", espontâneas e "desadequadas" ao momento e ao contexto pedagógico, de natureza verbal ou não verbal, que não tenham a ver com a economia da aula. Esta proibição, fruto dos próprios condicionalismos da vivência na aula, não deixa de ser fruto, igualmente, de representações, crenças e opções de carácter pedagógico; por outro lado, confere à aula um carácter bem distinto de todas as outras situações habituais de comunicação;

- o *corpo e o movimento*: deve manter-se dentro de alguma contenção e imobilidade, no espaço que lhe é reservado;
- as *tarefas e a pontualidade*: a executar em determinada sequência, em devido tempo, exigindo determinados materiais ao cuidado do aluno.

Não é fácil o estabelecimento de um «acordo» entre o professor e todos os alunos de uma turma no que respeita às exigências e ao objecto destas regras; frequentemente elas são tidas pelos alunos como anacrónicas, extemporâneas, descabidas ou, até mesmo, impossíveis de cumprir. A infracção a estas regras ganha forma em, pelo menos, quatro tipos de desvios que Amado (1998) teve a oportunidade de analisar detalhadamente na sua «morfologia», circunstâncias e fenómenos interaccionais. Trata-se de *desvios às regras da comunicação verbal, às regras da comunicação não-verbal, às regras da «mobilidade» e ao cumprimento da tarefa*. Muitos destes desvios nem sempre são abertos e declarados, existindo, como também é assinalado por vários autores (Woods, 1979; Hargreaves *et al.*, 1975; Doyle, 1986), um conjunto variado de «comportamentos estratégicos» que permitem ao aluno «*salvar a face*» e manter, aparentemente, o «compromisso»: dissimulação, conversa clandestina, passagem de mensagens escritas. Os dois primeiros tipos de desvio constituem, desse modo, a *segunda rede da comunicação na aula – a clandestina* (Estrela, 1984; Sirota, 1988), simultânea e cruzada com a «rede oficial». Trata-se de formas de «desconstrução» do diálogo didáctico, reprimidas pelo professor que nelas sente um impedimento à criação do clima eficaz de ensino e de aprendizagem, um factor de *stress* e, pelo menos nos casos mais persistentes e manifestos, um desafio ao seu estatuto e à sua imagem de profissional competente. Embora todos estes desvios, em qualquer momento, pudessem ser objecto de «disciplinação» por parte dos professores, qualquer observador notará um elevado grau de tolerância a este género de comportamentos. Geralmente, só a saturação e a repetição frequente por parte de alguns alunos leva o professor a tomar medidas mais drásticas.

Um outro aspecto que pode caracterizar este tipo de «desvios» é o da sua *intermitência* – uma espécie de alternância entre o «desvio» e o cumprimento da regra. Esta característica é patente, por exemplo, nos desvios às «regras da comunicação» (verbal e não verbal), e traduz-se por uma sucessão alternativa entre as comunicações «clandestinas» de muitos alunos e o acompanhamento que vão fazendo do professor (quando mais não seja, para o vigiar), entre a realização da tarefa e os *contactos* que se procuram ou se recebem, dos colegas, em especial dos mais próximos (Vasquez e Martinez, 1996; Correia, 1996).

Se tivermos em conta a lista de interrogações que Hargreaves e colaboradores (1975) propõem para a análise das regras da aula, como: «Qual a natureza das regras da aula? Quem as produz? Em que circunstâncias? Quem as comunica? Em que ocasião? Que justificações são dadas? Em que ocasiões e em que termos são as regras invocadas na imputação do desvio?»; se tivermos, ainda, em conta a existência dos subsistemas «normativo», «produtivo» e «axiológico», como propõe Estrela (1986), face aos depoimentos e à síntese do quadro acima apresentado poderemos extrair, com Amado (1998) as seguintes conclusões:

- do conjunto dos valores destaca-se o do *respeito* – («pedir a palavra», «ouvir os outros); existem outros valores como a *ordem*, o *silêncio*, a *limpeza* e o *trabalho*, que possuem, essencialmente, o carácter funcional de condições ecológicas do processo de ensino-aprendizagem, podendo colocar-se numa zona de sobreposição entre os subsistemas axiológico e normativo;
- os comportamentos sujeitos a regras são variadíssimos, abrangendo, como alvo, a comunicação, a relação, o corpo e o espaço, a execução da tarefa;as regras explicitadas no discurso de apresentação dos professores fazem parte da «cultura da escola» (dizendo respeito, por exemplo, a certas formas de estruturação do tempo e do espaço, e certos «padrões» de comunicação), e já são conhecidas e «esperadas» pelos alunos logo após a primeira fase da sua escolarização;
- valores e regras são desigualmente formuladas pelos diversos professores;
- raramente são dadas justificações para as regras ou é feita qualquer discussão ou reflexão conjunta com os alunos, de modo a minimizar o seu carácter arbitrário;

- as regras aparentam, comparativamente entre si, natureza bastante diferenciada, consoante o seu objecto; numas são os valores e a relação (por exemplo, «ouvir os outros» – regras «substanciais»); noutras estão em jogo rotinas e rituais, como a de «entrar ordeiramente na aula», a de «limpar a sala» e a de «não mascar chicletes» (– regras «cerimoniais» ou de «etiqueta»).

Recordando a expressão de Albert Cohen (1971:19) segundo a qual «cada regra cria um desvio potencial», podemos dizer que, perante uma listagem de regras e valores, estamos, também, frente a um conjunto potencial de desvios e, possivelmente, frente a todo um conjunto de «normas ou regras informais», as «regras da desordem» que passam ao lado do discurso do professor.

1.2. *QUE ALUNOS INFRINGEM AS REGRAS DA AULA?*

Pode afirmar-se que, a este nível, os desvios possuem uma *amplitude* que abrange praticamente *todos os alunos* – (os alunos mais e os menos empenhados, os mais novos e os mais velhos e seja qual for o sexo) – ainda que, em função dessas e de outras possíveis variáveis, com frequência desigual. Com efeito, numa ou noutra ocasião, todo e qualquer aluno tem momentos ao longo de uma aula, ou de uma série delas, em que «infringe» (reconhecidamente por ele próprio, pelos colegas, pelo professor e, até, por um possível «observador») as regras de trabalho. De facto, enquanto investigadores, sempre tivemos oportunidade de observar alunos com bom estatuto académico, a «conversar clandestinamente», a fazer barulhos, a procurar intervir sem ser solicitado apesar da regra, etc. Como escreveu Hammersley (1980: 20), considerar que os conformistas aceitam simplesmente a definição do papel de aluno que lhes é dado pela escola, «é uma conclusão pelo menos simplista». Amado (1989: 164) apresenta alguns exemplos «demonstrativos de que a "maioria silenciosa" não é totalmente conformista e de que os seus valores nem sempre estão em consonância com os dos professores e os da escola em geral».

Esta amplitude tão abrangente será melhor percebida quando tivermos em conta alguns dos factores e algumas das funções de tais comportamentos; por outro lado, esta amplitude explica o que muitos autores constatam: uma maior frequência dos comportamentos deste nível, de infracção à regra, do que dos outros níveis (Amado, 1989; Espírito Santo, 1994, Freire, 2001;Vicente, Santos e Simões, 2002; Oliveira, 2002).

Esta mesma investigação tem dado conta da importância de algumas variáveis que podem estar por detrás dos comportamentos de indisciplina, em geral, e muito especialmente, dos comportamentos deste 1.° nível. Assim, dando como exemplo investigações realizadas com base na «análise de conteúdo» de participações disciplinares (Amado, 1989 – estudo efectuado sobre 774 «participações» consultadas no arquivo de uma escola secundária dos arredores de Lisboa, cobrindo o espaço de tempo de cinco anos lectivos, 1981/82 – 1985/86; Vicente *et al.*, 2002 – estudo inédito efectuado sobre 1126 participações, numa escola secundária de Setúbal, relativas aos anos lectivos de 2000/1 e parte de 2001/2), foi possível verificar que:

- os incidentes (de qualquer nível) eram maioritariamente provocados pelos alunos do sexo masculino.
- os alunos mais novos (12 e 13 anos) apresentam mais elevada percentagem de problemas ao nível das relações entre pares (2.° nível) e, seguidamente, ao nível das infracções às regras da aula.
- os alunos do 7.° ano apresentam uma frequência mais elevada de incidentes na categoria das relações entre pares, seguida da categoria da infracção às regras da aula; no estudo de Amado (1989) os alunos do 8.° ano têm menor número de incidentes que os do 7.°, mas, em proporção, os incidentes da «infracção às regras da aula» são os preponderantes.

O nível das «infracções às regras da aula», para além de ser de maior amplitude quanto às características dos alunos que nele se implicam, e da sua maior frequência em relação aos outros tipos é, também, o tipo de comportamentos *representados,* pelos próprios alunos, como *os menos graves.* Tocamos aqui num outro importante aspecto que é o da caracterização dos alunos tendo em conta as suas percepções, representações e perspectivas em torno dos problemas disciplinares; os estudos desta dimensão «subjectiva» do problema têm sido feitos, nacional e internacionalmente, segundo diversas fundamentações (teoria psicossocial das representações, interaccionismo simbólico, sócio-ecologia) assentes no pressuposto de que ela constitui uma das variáveis mais determinantes do comportamentos em geral do aluno e, mais especificamente, do comportamento de indisciplina. Nessa base, alguns destes estudos procuram confirmar hipotéticas relações entre as representações dos inquiridos acerca dos factores e da gravidade dos comportamentos, e certas variáveis previamente definidas como a idade, o ano de escolaridade e o género, ou, ainda, com o facto de se tratar de alunos considerados ou não como indisciplinados pelos seus professores, o sucesso escolar, a origem étnica, as culturas juvenis de pertença e o estatuto sócio económico da família.

Quanto à representação dos factores da indisciplina, Freire (1990), depois de ter construído, validado e aplicado um questionário (com ítens a avaliar numa escala de tipo Likert) a 290 alunos do 7.° e do 9.° ano de uma escola do concelho de Loures e aos seus professores, e depois de uma análise factorial de correspondências sobre os seus dados, verifica que os alunos do 7.° ano imputam uma maior responsabilidade aos factores de carácter familiar e ao professor, ao passo que os mais velhos se revelam mais críticos em relação ao seu próprio comportamento. Amado (1998, 2001) identifica, também, na perspectiva dos alunos, uma pluralidade de factores: pedagógicos, pessoais, da organização e da família; comparando, no entanto, os 7.°, 8.° e 9.° anos, constata uma grande unanimidade na atribuição de responsabilidades ao professor; a diferença está no facto de os alunos mais novos apontarem predominantemente as falhas do domínio relacional (permissivismo, autoritarismo, injustiça na actuação), enquanto os do 8.° e 9.° salientam os aspectos técnicos da acção do professor (incompetência didáctico-pedagógica). Será interessante referir, ainda, que no estudo de Mendes (2001) junto de uma amostra de alunos do 12.° ano e utilizando como metodologia central a apresentação de um conflito específico sob a forma de uma história hipotética, aqueles alunos se consideram a si mesmos, maioritariamente, como a fonte dos problemas.

Quanto à gravidade dos problemas, os estudos são unânimes na conclusão de que o carácter perturbador do comportamento de indisciplina, provém mais da sua frequência ou recorrência do que da sua gravidade intrínseca.

Freire (1990) constatou, ainda, que as representações dos alunos do 7.° ano se organizam predominantemente em torno dos comportamentos que são perturbadores do trabalho na aula, enquanto as representações dos alunos do 9.° ano se organizam à volta de formas mais perturbadoras da relação pedagógica. No entanto, Amado (1998), aplicando o mesmo questionário aos mesmos alunos, em três anos sucessivos (do 7.° ao 9.°) regista uma grande convergência de representações sobre a gravidade dos comportamentos de indisciplina e de violência, nos diversos anos, o que se explica pelo facto de «a situação pedagógica e a cultura escolar, provavelmente logo nos primeiros anos de escolarização, integrar o aluno num conjunto de padrões de comportamento e de pensamento que resultam em grande uniformidade» (Amado, 1998: 466).

As percepções dos alunos são também objecto de estudos de Rosado e Januário (1999) que aplicam um questionário a uma população de 111 alunos do 3.° ciclo, de ambos os sexos e de diferentes etnias. Discriminando 16 tipos de comportamentos indisciplinados, os autores procuram verificar de que modo os alunos «encaram os incidentes disciplinares, como decidem da sua presença ou não, da sua gravidade e das consequências que devem resultar, no ambiente escolar, da violação de diversas normas de conduta», tendo em conta variáveis como estatuto sócio económico, o nível de sucesso escolar, o género, a origem étnica e as culturas juvenis de pertença. Os autores concluem, de acordo com os estudos anteriores, que, no geral, os comportamentos dirigidos aos professores e que ponham em causa a sua autoridade são entendidos como muito «mais graves», ao passo que os comportamentos «dirigidos às actividades» são menos graves. «Muito graves» são, também, as agressões físicas aos colegas, mas o mesmo já não acontece com os insultos, gestos ou palavras obscenas. Neste último estudo verifica-se, ainda, que o género feminino (e, até certo ponto, os alunos de origem social mais alta) apresenta «sempre valores mais elevados de percepção da gravidade dos comportamentos de indisciplina». Verifica-se, também, que os alunos mais novos possuem uma percepção da gravidade dos comportamentos de indisciplina que se vai atenuando à medida que os anos passam. No mesmo estudo, salvo uma excepção que referiremos a seu tempo, a pertença a um determinado grupo étnico não se mostrou significativa. Também não se revelou significativa a pertença a grupos «culturalmente» distintos, como *rapers*, *surfers*, *skinheads*, *skaters*, *metálicos e betinhos;* de facto, as conclusões apontam para a existência de efeitos diferenciadores em apenas 3 dos 16 ítens do referido questionário, o que leva a concluir pela não existência de diferenças substanciais na percepção da gravidade dos incidentes tendo em conta essa variável. No entanto, será interessante atendermos às pequenas diferenças. Segundo os autores, os alunos que se identificaram como *rapers* percepcionaram o comportamento de «chegar atrasado» como menos grave, do que os outros grupos. «Entrar na sala de aula sem pedir autorização», é mais grave para os *rapers* e para os *surfs*. «Dirigir gestos e palavras ameaçadoras aos colegas» foi percepcionado pelos *metálicos* como menos grave do que pelos outros grupos.

Passando de uma focagem do aluno para o tipo de turmas implicadas, neste nível de problemas, como aliás nos outros, encontramos grande variabilidade em relação às turmas. Vicente e colegas (2002) verificam que 36,6% das participações são relativas a 3 turmas de um conjunto de 32 turmas. Amado (1998, 2001) considera que esta problemática é maior em turmas pouco coesas, divididas em subgrupos de interesses desiguais e em conflito, alguns deles liderados por alunos em franca oposição às exigências escolares. Neste caso, são os próprios alunos «infractores» a reconhecer, muitas vezes, que os seus comportamentos «desviantes» se ficaram a dever, acima de tudo, «ao barulho generalizado da turma».

A estrutura informal da turma e a sua dinâmica específica foi objecto de um estudo de Baginha (1997) que, a partir da aplicação do teste sociométrico (associado a observações e entrevistas) a duas turmas, uma considerada disciplinada outra considerada indisciplinada, nos dá conta de como os processos relacionais da "classe", gerados nas interacções que se desenvolvem no decurso das suas actividades lectivas e na convivência fora da sala de aula, se repercutem na dinâmica da aula e, em particular, na emergência de comportamentos de indisciplina. Neste estudo confirma-se a existência de uma relação entre a estrutura sociométrica dos dois grupos e a «etiquetagem» que lhes é atribuída; por outro lado, a coesão grupal na turma considerada disciplinada é maior do que na «indisciplinada» (p. 286). É sobretudo na adolescência, com o desenvolvimento da capacidade de «pensar sobre o que os outros pensarão de si próprio», que se torna mais premente a necessidade de ser aceite pelo grupo, o que pode explicar o comportamento de disciplina ou de indisciplina de muitos alunos; nesta ordem de ideias, a turma, funciona como um marco de referência para os comportamentos e atitudes, definido muitas vezes o estilo de relação que o jovem estabelece com o professor. No estudo em causa, as regras informais do grupo revelaram-se significativamente diferentes consoante se tratava da turma considerada disciplinada ou da indisciplinada. Tendo em conta, também, as subdivisões existentes no interior de cada uma dessas turmas revelaram-se, ainda, outras diferenças assinaláveis; assim, enquanto na turma considerada disciplinada as regras divergiam nos subgrupos disciplinado e indisciplinado, na turma considerada indisciplinada, essas diferenças não se verificavam, parecendo, por isso «atribuir importância semelhante a um conjunto de qualidades que devem manifestar nas suas relações grupais» (p. 285). Por outro lado, as regras na turma considerada indisciplinada visavam «uma oposição colectiva e confronto na relação com o professor» (p.285), cumprindo funções de *contestação* (para usar uma das 5 categorias das funções pedagógicas do desvio, criada por Estrela (1986, cf. abaixo). Verifica-se, portanto, uma espécie de «acção organizada» no interior da turma, onde, apesar disso, não deixam de se verificar forças extremamente contraditórias, tendendo ora para a coesão e homogeneidade, ora para a oposição e conflito interno.

Note-se, no entanto, que no contexto da vida na sala de aula (incluindo os fenómenos de indisciplina que aí se verificam), a dinâmica da turma não é um fenómeno isolado e independente; ela tem uma expressão que resulta de um jogo interaccional complexo estabelecido entre três lados de um triângulo (nem sempre equilátero):

- cada aluno em particular (a sua história de vida e percurso escolar, o projecto de vida, o auto-conceito, a existência ou não de uma identidade e de uma carreira de desviante, as vivências exteriores à escola determinadas pelos valores, estilos de vida, recursos económicos e culturais da família e do contexto social de origem);
- o contexto social criado pela própria turma (a homogeneidade ou a falta dela, critérios institucionais e pedagógicos da sua constituição, a coesão, as lideranças, as normas informais, as interpretações colectivas da situação, etc.);
- o professor e o modo como concretiza as diversas dimensões da sua competência (a dimensão científica, técnica, relacional, clínica e pessoal). Aqui há que ter em conta, ainda, o modo como o professor é (ou não é) apoiado, na sua acção e no seu modo de pensar, pela direcção e pelos restantes membros da equipa docente. A coesão da equipa docente em torno de valores, regras e projecto educativo tem-se revelado fortemente correlacionada com a problemática disciplinar (Freire e Amado, 2008).

1.3. *COM QUE PROFESSORES SE INFRINGEM AS REGRAS DA AULA?*

Haverá professores que escapem a este tipo de problemas?

A grande conclusão que se pode tirar, sobretudo a partir de estudos centrados na observação de aulas (Estrela, 1986; Brito, 1986, Mendes, 1994, Amado, 1998, 2001, Freire, 2001, Oliveira, 2002) é que, a este nível, a indisciplina se verifica ***com todos os professores,*** embora, tal como vimos em relação aos alunos, em graus e frequências diversas e em função de certas variáveis. Supor o contrário seria contrariar os dados que qualquer observador pode testemunhar e aceitar que tudo dependeria simplesmente da acção do professor. Mas assim não é, de facto.

No já referido estudo de Amado (1989) há algumas conclusões a ter em conta no que respeita às variáveis sexo, idade e categoria profissional. Assim, verificam-se diferenças estatisticamente significativas quanto ao género: há um maior número de «participações» (com problemas dos vários níveis) com docentes do sexo feminino do que masculino.

De um modo surpreendente, Amado (1989) verificou que o facto de ser efectivo ou provisório (o que na altura suporia formação e experiência diferente), não se traduziu em diferenças significativas no modo como lidar com os fenómenos de indisciplina. O mesmo se verificou no estudo de Vicente e colegas (2002): das 1126 participações, realizadas por professores, dos 0 aos 27 anos de experiência, apenas 11,7% (132) foram da iniciativa dos primeiros (estagiários), ao passo que professores com 7, 8, e 9 anos de experiência foram responsáveis por um total de 30,9% (346). Pode dizer-se, então, que a experiência profissional poderá ser importante (efectivamente muitos são os estudos que apontam a sua influência na gestão da aula e nos conflitos que aí surgem), mas, certamente, não é suficiente. E se o problema da indisciplina parece ser, conforme diversos estudos têm apontado, um problema bastante premente no início da carreira (Silva, M. C., 1997; Silva, L., 1997; Rodrigues e Esteves, 1993; Alves, 1997, Cavaco, 1990), ele não deixa de ser, também, um dos tormentos de professores com muitos anos de profissão, o que aponta para a necessidade de ter em conta muitos outros factores, mesmo os de ordem subjectiva e pessoal.

Sabe-se que os professores são muito diferentes, por exemplo, na flexibilidade e no entusiasmo pelo que ensinam, no modo como concebem o papel de aluno, nas expectativas que possuem sobre os seus alunos, para não falar de diferenças ao nível dos traços de personalidade, da motivação e das atitudes em geral. Como afirma Estrela (1995), os professores manifestam «diferentes sensibilidades e maneiras de estar na profissão que revelam, quer rupturas face a regras profissionais até aqui inquestionáveis, quer resistência a novas maneiras de encarar o processo pedagógico». Essas diferenças, terão, por certo, o seu reflexo ao nível dos comportamentos na sala de aula. É conhecida a tipologia de Brophy e Good (1974: 303) construída em função das expectativas que os professores apresentam dos seus alunos. Existem professores:

- *pró-activos (proactive)* que se caracterizam por interagirem amplamente com a turma e com cada um dos alunos em particular e por apresentarem expectativas flexíveis acerca de cada um deles.
- Os professores *reactivos* (*reactive*) têm expectativas flexíveis, concedendo grande protagonismo a certos alunos na aula.
- Os professores *sobre-reactivos (overactive)* "marcam" rápida e excessivamente os alunos e tratam-nos em função destas expectativas relativamente fixas, rígidas e estereotipadas.

Também a relação entre os *valores do professor,* a *sua prática* e as *normas* que impõe na aula constitui uma temática de investigação de grande interesse, mas até agora objecto de pouca atenção. Já as investigações iniciais de Hargreaves (1972; 1975) apontavam para o facto das representações do professor acerca do seu papel na sala de aula, da natureza dos alunos e do ensino, serem determinantes das práticas e das regras que aí vai impor. Por outro lado, a propósito desta mesma relação, o autor classifica os professores em dois grandes tipos:

- os «*provocadores de desvio*» («deviance-provocative»): acreditam «que os alunos que eles definem como desviantes não querem trabalhar e farão tudo para o evitar»; as relações com estes alunos, nitidamente anti-autoridade, são vistas como batalhas onde alguém tem de vencer – ensinar é uma actividade vista como conflituosa, feita de sucessivos ultimatos ao aluno.
- os «*isoladores do desvio*» («diviance-insulative»): acreditam «que estes alunos, tal como os outros, querem trabalhar. Se os alunos não trabalham, as culpas são atribuídas às condições. Acreditam que estas condições devem mudar e que é da sua responsabilidade

iniciar a mudança. No campo disciplinar existe um conjunto de regras explícitas, são firmes e acreditam que é isso que os alunos preferem. Fazem um esforço por evitar qualquer tipo de favoritismo ou tratamento diferenciador; também evitam qualquer tipo de confronto com os alunos e não fazem comentários de avaliação negativa sobre os alunos prevaricadores» (Hargreaves *et al.*, s1975: 260-61).

Toda esta problemática aponta, também, para o modo diferenciado como os professores constroem e resolvem um conjunto de *dilemas* típicos da profissão. De facto, ensinar implica «a resolução simultânea de múltiplos dilemas» relacionados com o *controlo*, com o *currículo*, com a gestão da vida social na turma (Caetano, 1992); no seu conjunto, os que se referem ao «controlo sobre o aluno» ocupam um lugar de destaque, como optar por ver a criança como um ser em desenvolvimento integral (como um todo), ou apenas se interessar pelo seu desenvolvimento intelectual (como estudante); como decidir se é o professor se é o aluno quem deve tomar decisões sobre as actividades e a sua duração; e, ainda, como decidir se acentuar mais os objectivos afectivos ou os cognitivos.

Esta eventual relação entre pensamento e acção docente é, também, preocupação de Helena Oliveira (1998) cuja conclusão maior de seu estudo empírico é a de que os professores reagem aos acontecimentos em função de «um corpo de convicções e de significados conscientes ou inconscientes, que surgiram da experiência íntima». Para chegar a esta conclusão a autora parte da comparação dos principais indicadores sublinhados em entrevistas a duas professoras, uma (A) tida como «eficaz», outra (B) como «ineficaz»[1], no controlo disciplinar, contrastando as verbalizações e o posicionamento de ambas em função de 6 áreas globais de «competências identificadas»: orientação das relações, primeiros dias de aulas, gestão da sala de aula, controlo disciplinar, percurso profissional e dimensão pessoal. Por este estudo ser bastante elucidativo do posicionamento diferente dos professores quer no que respeita ao pensamento quer no que respeita a práticas, procedemos a uma breve colagem de citações,

---

[1] Ambas do sexo feminino, com idades aproximadas, com idêntica formação académica e profissional, e, respectivamente com 15 (A) e 14 (B) anos de profissão.

da nossa responsabilidade, a partir do texto da autora e relativamente a algumas de algumas das áreas acima referidas:

1) Orientação das relações.

Professora A	Professora B
«Que eles transgridam as regras é perfeitamente natural» «Muito carinho, muita amizade, muita compreensão, muito estar com...».	«Os alunos estão na sala para chatear o professor» «O professor não se pode rir (...)... Marcar o máximo de distância...»

Vemos que enquanto "A" «demonstra valorizar positivamente os alunos», «valoriza a componente humana da relação que estabelece com o aluno», "B", por outro lado, «enfatiza no seu discurso uma percepção negativa dos alunos» (p. 150), «a relação parece pautada pela defesa e desconfiança em relação aos alunos» (p. 151).

2) Primeiros dias de aulas

Professora A	Professora B
«(...) Sei que é aí que se define muita coisa»; «Eu passo a aula a brincar»: «É aí que eles começam a perceber porque é que a professora liberal começa a imprimir ou a dar certas regras»	«A primeira aula é assim, em geral, a ver quais são os alunos que me irão logo chatear a cabeça (...) É rápida»; «O melhor é pôr cara de pau». «Criam uma imagem de uma pessoa que depois será difícil de mudar»

«O sujeito "A" reconhece a primeira aula como um dos factores principais para o controlo da turma», «cria um ambiente informal» e aproveita da «ambiguidade da situação de uma forma positiva para introduzir as regras e as normas na turma»; «O sujeito "B" aproveita este momento para identificar os alunos que lhe irão causar problemas», tem uma «atitude de fuga imediata face às primeiras dificuldades» e acaba «por atribuir a dificuldade em gerir uma turma às expectativas criadas sobre si mesmo» (p. 154).

1) Gestão da sala de aula

Professora A	Professora B
«Tem que se ser astuto, manhoso, no sentido de estar alerta (...) Dizer-lhe as suas regras, não de uma forma explícita, de forma a que ele as entenda. (...) Porque eles têm técnicas fabulosas de ataque...».	«À medida em que eu começo a ver aquilo que eles vão fazendo chamo sempre a atenção»

O sujeito "A" apresenta as suas expectativas «quanto ao comportamento dos alunos, levando a crer que intervém de uma forma pronta e elaborada para parar o desvio recorrendo às regras estabelecidas e preservando o clima que criou» (p. 158). «O sujeito "B" parece reagir com lentidão limitando-se a esperar que um comportamento disruptivo ocorra para, então, intervir» (*ibid*)

2) Controlo disciplinar – *Atribuição causal e competências de resolução.*

Professora A	Professora B
O problema «se calhar começa no professor». «O meu principal problema é perceber porque existe indisciplina, é perceber porque A, B e C reagem de maneira completamente diferente a todo o resto da turma». «Antecipação», «Tu não podes estar desatenta em ocasião alguma».	«São, em geral os alunos que têm problemas». «Como as turmas são grandes há dois pólos que acabam sempre por me chamar a atenção: os que perturbam e os interessados, os dois extremos». «Tenho de estar sempre em cima desses alunos, porque eles hão-de estar sempre a ver o que vão inventar».

A atribuição causal da indisciplina apresenta-se em dois sentidos opostos, por outro lado enquanto, «o sujeito "A" centra a sua atenção no levantamento das possíveis causas que levam os alunos a manifestarem determinados comportamentos», "B" «procura, nas suas primeiras impressões, catalogar os alunos nas duas tipologias que acredita existirem (os interessados e os que perturbam»).

No modo de gerir as situações «"A", demonstra possuir consciência dos factores atenção e antecipação», enquanto «"B", centra a sua atenção num grupo de alunos que isolou como perturbadores, não conseguindo manter uma atenção diversificada a duas situações ao mesmo tempo» (p. 161).

3) Controlo disciplinar – Reacção ao confronto e intenções estratégicas

Professora A	Professora B
«Sinto desafio. (...) O aluno nunca é o inimigo, é sempre o adversário de um jogo». «Quando tomo uma atitude não deixo margem para dúvidas. A forma como dou a ordem é peremptória. Ou então faço outra coisa, é pedir ao aluno que me ajudem a tomar a decisão». «Á medida que vais conquistando terreno, já não há dificuldade de aliares a armadura com o carinho e com a amizade». «Se eu fosse aluna hoje, com a idade que tenho, dava-me imenso gozo testar a outra pessoa»	«Inimigo não...inimigo só quando me começam (...) quando eu vejo que eles estão ali naquela de me chatear. «Se tivessem castigos maiores se calhar era capaz de ser mais fácil». «... nunca tinha pensado nisso: que os alunos estão na sala para chatear o professor»!

"A" «assume uma posição activa e negocial», mas também, ao mesmo tempo «assertiva»; valoriza os aspectos relacionais e mostra-se consciente «dos diferentes momentos por que deve passar a relação até ao ponto que considera ideal». "B" «sente-se violentada pelos comportamentos que os alunos manifestam» e considera que «bastaria dispor de mais meios para aplicar e, em consequência, obter a resolução satisfatória dos problemas». Ao contrário de "A", o sujeito "B" «não se identifica com os alunos, e parece nunca ter tentado colocar-se no ponto de vista do outro».

4) Controlo disciplinar – *Resolução de conflitos e tomada de decisão*

Professora A	Professora B
«É pregarem-me uma partida e eu pegar exactamente no oposto, com mais atenção, com mais carinho». «Quando tomo uma atitude não deixo margem para dúvidas (...). Ou então faço outra coisa: é pedir aos alunos que me ajudem a tomar a decisão»	«Primeiro, eu acho que pode ser solução: começar a marcar mais faltas». «Eu acho que eles, respeito, associam a medo...»

Enquanto "B" «faz uso estrito das penalizações», "A" faz referência «a recursos pessoais que potencializam a sua capacidade de confronto, sendo capaz de se revelar ao outro, aproximando-se dele, quer em contexto de aula quer fora dela». Por outro lado, "A" «revela uma atitude assertiva (...) recorrendo meramente à sua autoridade, ou envolvendo os alunos na tomada de decisão»; para "B", a ordem «depende do medo que se consiga instaurar».

Diferenças destas podem ser igualmente testemunhadas a partir da observação de aulas e dos próprios relatos dos alunos; essas foram, aliás, as vias utilizadas por Amado (1998) ao confrontar as práticas de professores com *níveis elevado*, *médio* e *baixo* de indisciplina e cuja apresentação se fará, em parte, a propósito dos factores pedagógicos de indisciplina ao *nível 3* (cf. Terceira parte).

1.4. *QUE FACTORES PREDOMINAM NA INFRACÇÃO ÀS REGRAS DA AULA?*

A este nível, e tendo em conta que o que está em causa são as condições do trabalho para cuja construção contribuem as regras, os *factores* de maior peso (embora não os únicos, note-se bem) são, por certo, os que se prendem, por um lado, com a *natureza das actividades curriculares* e, por outro, com *a gestão do ensino* e com a *dimensão relacional* da acção do professor.

A – Natureza das actividades curriculares

Entendemos este factor como todo um conjunto de característica da aula que a tornam um espaço extremamente complexo, constrangedor, na sua forma clássica e predominante, talvez até desumano e anti-natural! Num espaço desses, não serão de estranhar os comportamentos problemáticos, como o da infracção às regras. Amado (2001; 2005a) elabora, com base em diversa bibliografia, uma listagem dos traços comuns constituintes de uma cultura de aula; sem retomar o desenvolvimento que o autor lhes deu, procedemos a uma ligeira readaptação da sua listagem:

- ***Características decorrentes das interacções em jogo***
  - *quantidade ilimitada de interacções espontâneas.*
  - *simultaneidade de actividades*
  - *pluridimensionalidade das actividades*
  - *imprevisibilidade de acontecimentos.*

- ***Características estruturantes das interacções***
  - *historicidade e contextualização dos acontecimentos*
  - *espaço de actividade sujeito a constante avaliação.*
  - *lugar público*
  - *obrigatoriedade de presença*
  - *imposição de currículos «formais» e didactização dos saberes*
  - *imposição de um currículo «informal».*

A indisciplina, a este nível, e tendo em conta estas características que são outros tantos constrangimentos, pode ser entendida como uma dificuldade inerente à adaptação do aluno, individual e colectivamente; ou, como diz Everhart (1987) a indisciplina «pode ser entendida como parte de uma dinâmica progressiva criada pelos participantes na organização (alunos, professores e administradores), em virtude da forma como vivem as suas vidas dentro da escola como organização social complexa». Estamos certos que «é do reconhecimento dos constrangimentos de uma aula, num contexto habitual e tradicional, que é necessário partir para a construção criativa de uma relação mais humana, assente em «roteiros libertadores», exigindo do professor, a capacidade de *empatia* (que o leve a preocupar-se e a compreender os sentimentos do aluno), a disposição para uma *relação de ajuda* (que põe em marcha a sua autoridade científica e moral, a sua competência para estimular, provocar e desafiar a inteligência e vontade do aluno), e uma atitude de *preocupação pela equidade* (que tem em conta as múltiplas diferenças entre os alunos sem cair na parcialidade). Sabendo, embora, que esta proposta não é nova, cremos que, nunca como hoje a escola, devido à extrema heterogeneidade da sua população, necessitou tanto de compreender a urgência destas atitudes e de as pôr em prática» (Amado, 2005a).

Poderá um professor, no sistema geral do ensino, e por si mesmo, alterar todos os constrangimentos e determinações subjacentes a estas características da vida na aula? A resposta será negativa tanto mais quanto o pretender fazer isolada e com acentuado voluntarismo; contudo, o conhecimento e a reflexão sobre todos esses constrangimentos poderão ser extremamente úteis no combate ao um sentimento depressivo de fatalismo, no evitar certos erros relacionais e didácticos, no compreender das dificuldades e, até, na busca, nem sempre meramente utópica, de alternativas realísticas e adaptadas a cada situação.

B – A gestão do ensino

Esta gestão prende-se com as estratégias didácticas e métodos de ensino empregues, com o modo como se estrutura e se distribui a comunicação na aula, com o próprio ritmo da comunicação e o modo como se gere a passagem de uma fase da aula para outra, com o modo como se administra o espaço, se o professor está sentado ou de pé, se circula ou se mantém em território fixo, se os seus olhos são capazes de circular (e de testemunhar) como um farol o que se passa na sala, ou se se prendem timidamente num sítio... Trata-se da dimensão do *management*, frisada por uma corrente investigativa que trouxe ao de cima a importância de todo um conjunto de destrezas ou «competências»[2] de ordem profissional (*skills*) que «fazem a diferença» entre professores eficazes e não-eficazes[3].

---

[2] Um conjunto de atitudes (modos de ser e de estar), de conhecimentos teóricos (*porquê*) e de conhecimentos práticos (*que* e *como*) que constituem as características fundamentais da profissão.

[3] Kounin, 1976; Doyle, 1984, 1986; Evertson, 1989; Emmer, 1985; Estrela, 1986 – A preocupação desta corrente por saber como é que os professores mantêm a «ordem»

Na esteira de diversos outros autores o nosso conceito de gestão «alarga-se a toda a "orquestração da vida na aula", incluindo aí, o modo como o professor prepara o primeiro encontro com os seus alunos, como planifica e organiza as actividades de cada lição, como executa e gere estímulos tais como a pergunta e o olhar dentro da aula, como reforça e avalia os alunos, como gere os poderes (seus e dos alunos) e como actua face a confrontos e conflitos» (Amado e Freire, 2005).

Amado (2001) dá conta, partindo de uma auscultação e análise da «voz dos alunos», de como o estilo de comunicação e de ensino utilizado pelos professores na aula se pode tornar factor de indisciplina quando se geram situações que podem ser *interpretadas e sentidas por aqueles* como *«aborrecidas»* e *«sem sentido»*[4]. O autor verifica que essas situações estão fortemente associadas ao «abuso do método expositivo», à existência de aulas que os alunos classificam como «desinteressantes», porque «monótonas», «repetitivas», «dispersantes», e em que os alunos não se sentem envolvidos nem descobrem o *interesse* nem o *encanto* (a vertente estética) dos conteúdos ministrados. Com efeito este tipo de aulas, marcadas por «estratégias de ensino inadequadas» (Amado, 2001: 223) e que conferem ao professor o monopólio da comunicação, «reduz o professor à única condição "daquele que ensina" e faz o aluno não extrapolar sua condição de "sujeito que aprende"» (Passos, 1996: 118). O verdadeiro acto pedagógico caracteriza-se, precisamente, pela construção de um ambiente propiciador do «emergir das falas, do movimento, da rebeldia, da ânsia de descobrir e construir juntos, professores e alunos» (ibidem).

A aula expositivo-interrogativa, bem como as «novas pedagogias» enquanto contexto para um conjunto de estratégias específicas, que permitem ao aluno «sobreviver» ou dar de si uma imagem positiva (mas, por vezes falsa) têm sido objecto de várias pesquisas de que Amado (2001: 90-92) faz uma breve síntese. Para além das metodologias utilizadas, outros factores são importantes, tais como as posturas incorrectas do professor, incorrecta administração do espaço e do tempo, incapacidade de «testemunhar» o que se passa nos quatro cantos da aula, a má gestão das

na aula, ou o que eles fazem para a perder, tem-se revelado de grande importância em termos de problemática de investigação e em termos de «formação de professores».

[4] Remetemos o leitor para essa obra, pelo que seremos sintéticos e não repetiremos os testemunhos aí apresentados.

intervenções e dos estímulos à participação; observações realizadas na sala de aula, desde o célebre estudo de Kounin (1977)[5] até à investigação de Estrela (1986), tentando estabelecer a relação entre o modo como o professor gere as situações e a indisciplina dos alunos, têm comprovado a importância destes factores. Estrela (1986: 152) verifica, por exemplo, que a maior parte dos comportamentos perturbadores, se produzem quando o professor se revela incapaz de prestar atenção simultânea a duas ou mais situações diferentes (uma competência profissional necessária tendo em conta algumas das características da aula acima referidas, como a simultaneidade e a pluridimensionalidade das actividades e funções).

Amado (1998), por sua vez, associa os «desvios à comunicação» por ele observados em aulas, aos momentos e situações em que:

- os alunos «de trás» (às vezes aí reunidos livremente) eram abandonados à sua sorte;
- o professor se virava de costas para a turma a fim de escrever no quadro;
- o professor se alheava da turma e atendia a situações pontuais ou procurava algo;
- o professor decidia mudanças de actividade;
- os alunos acabavam a tarefa e permaneciam sem novas instruções;
- o professor tinha um discurso oscilante, como quando deixava um tema, iniciava outro e de repente, voltava ao anterior.

Ilustramos algumas destas situações com exemplos retirados da referida investigação (Amado, 1998):

- «*O professor alheia-se da turma*. Na aula de 18 de Fevereiro de 92, observei uma professora estagiária do 8.°E, a procurar, durante largos minutos, um exercício no livro, parecendo, nesse espaço de tempo, completamente alheia à turma. Nesse momento a confusão era geral. Trata-se da ausência da capacidade de "*Withitness*" (Kounin, 1977: 81), e que Estrela traduz por «*testemunhação*» (2002: 89)».

[5] Para uma síntese dos contributos deste autor, cf. Amado (2000: 31; 2001: 165).

- «*Faltam novas instruções para o prosseguimento da tarefa*. Numa aula da mesma turma, com um professor exigente e temido, os alunos após acabarem um exercício no lugar, provocam alguma confusão quando aqui e ali se levantam vozes a dizer: «*Eu já fiz... Eu também...*». Fenómeno relacionado, também, com a capacidade de provocar «transições suaves» (que Kounin designa por "*Smoothness*"; 1977: 92), e com a necessidade de dar instruções prévias sobre como proceder no final de uma tarefa».
- «*Discurso oscilante*. Ainda, na mesma turma, com outra professora, observei um momento em que esta diz qual a matéria que vem para um teste, retoma a explicação e daí a segundos volta ao tema do teste a pretexto de se ter esquecido de acrescentar algo, mas incendiando de novo a algazarra geral. Trata-se de um comportamento da comunicação verbal do professor designado por Kounin como «*flip-flops*» e que, tal como outros, prejudica a transição suave das actividades».

As fases da aula... os períodos do dia... Trata-se de elementos da situação também muito importantes para a compreensão do comportamento em geral do aluno, e do desvio à comunicação verbal, em particular. Raramente se verificou uma entrada ordeira e silenciosa, parecendo haver, mesmo, uma espécie de acordo nesse sentido, e uma enorme tolerância por parte dos professores. Uma professora, habitualmente sem grandes problemas de indisciplina na aula, justifica esta tolerância pelo facto de reconhecer a dificuldade de adaptação dos alunos na passagem do recreio para o sossego da aula:

> *Prof.ª: Poderei ser considerada permissiva no momento da entrada, isso aí não tenho qualquer... por princípio deixo-os entrar como quiserem.*
>
> *E: Como é que justifica esse princípio?*
>
> *Prof: Não sei, porque acho que é impossível com a idade que têm vir de um corredor e ficarem calminhos. Têm assim tudo o que eles querem. Depois, a partir daí basta um olhar e... começo talvez a controlá-los um pouco mais.*

Quando um ou outro professor tentou obter uma atitude diferente, não só no que respeita a conversa mas a outro tipo de posturas, sempre enfrentou uma grande resistência por parte dos alunos. Já na fase «da lição» o que se espera é que os alunos tenham atenção e não falem uns com os outros, mas não há dúvida que muitos alunos mostravam maior dificuldade em se adaptar a essa fase. Contudo, os primeiros momentos após a entrada e, também, os últimos minutos da aula, revelaram-se, na generalidade, as fases mais difíceis. As motivações não seriam, porém, as mesmas: no início, como nos diz um aluno «*quando a professora não diz nada..., há sempre barulho, o acalmar do intervalo*» (aluno do 7.° ano); no fim, é o cansaço, a fome (sobretudo se se trata da última aula do turno), o desejo do retorno ao intervalo e à liberdade.

Em suma, trata-se de um conjunto de situações já, em parte, identificadas por diversas investigações como possuindo uma forte correlação com a indisciplina. Saliente-se que algumas destas situações foram claramente denunciadas pelos alunos como incompetências didácticas e factores da indisciplina. Nenhum destes elementos da situação pode explicar, só por si, a perturbação sob as formas que aqui referimos ou outras. Eles têm de se constituir numa constelação de elementos de vária ordem – uns objectivos e outros subjectivos. Não basta, por exemplo, a simples circunstância de estarmos no início da aula; é necessário que o professor não saiba impedir a desordem e impor-se... por isso, num testemunho já citado se diz que isto acontece «*quando o professor não diz nada...*».

C – A dimensão relacional

Esta dimensão tem a ver com o modo como os professores gerem o poder dentro da aula, e com a capacidade de passarem uma imagem de justiça e de compreensão nas suas relações com os alunos.

O clima relacional da aula torna-se factor de indisciplina «se for de molde a gerar alguma frustração das expectativas habituais dos alunos sobre o estatuto e o poder do professor; de facto, na sua perspectiva, o professor não pode revelar incapacidade de exercer adequadamente o seu poder, manifestar falta de autoridade, de firmeza e de experiência» (Amado, 1998: 429).

A investigação (Amado, 2001; Maya, 2000; Carita, 1993; Freire, 1990) revela que os alunos esperam que os professores actuem com autoridade e poder dentro da aula. A autoridade surge, na perspectiva dos alunos, como uma condição necessária para a criação de um clima de trabalho e de aprendizagem. O problema está na gestão desequilibrada dos poderes e na queda em extremos: autoritarismo de um lado e permissividade, do outro.

O autoritarismo – É apresentado, na representação dos alunos (e também de pais e professores), como sintetiza Maya (2000: 127) «de modo negativo, como um abuso da autoridade, o ser rígido, agressivo, repressivo ou prepotente». As atitudes do autoritário são de vigilância constante e «desconfiada» (no dizer dos alunos) e de grande distanciamento afectivo; são professores irónicos para com os alunos, ridicularizando-os frequentemente e que usam como meio de controlo a ameaça (medidas de «dominação/imposição»[6]) e o castigo. O resultado é uma postura inicialmente amedrontada dos alunos mas que rapidamente se transforma numa grande variedade de «desvios» clandestinos e outros, muitas vezes com o intuito de «vingar injustiças»[7]. Chandra Hawley (1997) cujo questionário de auto-observação adaptaremos na 5.ª Parte, considera entre outras características, que estes professores, limitam fortemente a actividade e a liberdade dos alunos na aula, desencorajam discussões e trabalhos de pesquisa, exigem obediência estrita, castigam frequentemente e raramente elogiam.

A permissividade – Pior que o autoritarismo parece ser a permissividade (Amado, 1998; Maya, 2000; Coleman e Coleman, 1984); o professor permissivo cria muitas situações de perfeito descontrolo na aula, terreno propício para comportamentos de todos os níveis de gravidade e obstáculo a qualquer aprendizagem; na terceira parte deste trabalho voltaremos a estas situações situando-as entres os factores pedagógicos das perturbações mais graves. Segundo Chandra Hawley (1997) este estilo de autoridade deixa os alunos perfeitamente à vontade; as suas decisões têm como centro de preocupações o bem-estar dos alunos, mais do que as preocupações académicas.

A *indiferença* – Trata-se de uma característica de professores perfeitamente desmotivados, que gerem a aula numa rotina diária, que procuram

---

[6] Cf. categorização das medidas de controlo disciplinar em Amado (2000: 40 e sg.; 2001: 161 e sg.)

[7] Faremos um levantamento das situações de interacção consideradas «injustas» pelos alunos, na 3.ª parte.

não ser incomodados e evitam incomodar os alunos (numa espécie de negociação implícita); são aulas em que pouco ou nada de interessante acontece e em que nada se aprende.

Acrescentemos, apenas, que para além do estilo de autoridade há, ainda, algumas particularidades de certos professores que dificultam a aproximação dos alunos e criam aquelas dificuldades de «ajustamento» à pessoa do professor de que fala Postic (1991): «A relação pedagógica é de natureza conflituosa (...). Na procura da sua identidade a criança encontra uma figura passível de identificação que é a do professor. Compreende-se então a ambivalência fundamental da relação pedagógica tal como é vivida pelo aluno: o professor é aquele que lhe dá apoio, mas é também aquele que o coloca em perigo, quando é percebido como uma pessoa que invade o Eu do aluno ou contraria os seus projectos». Nesta ambivalência situam-se a adesão e (ou) a rejeição, o *gostar* e (ou) o *não gostar* do professor, com todas as consequências comportamentais que daí advêm; se se gosta «*não vão perturbar*»; ao passo que «*se não gostam tanto... querem chatear*» (aluno do 7.° ano), ou *faltam às aulas*. Instalado o conflito, ele pode manter-se numa espécie de circularidade causal; dizia-nos uma aluna que faltava às aulas de uma determinada disciplina porque não gostava do professor, e que este, por seu lado, lhe mandava *recados* pelos colegas com um certo sabor a ironia que o tornavam mais detestável: «*E ele vira-se para os meus colegas e diz: "Olha diz à Miquelina que quando ela decidir vir às aulas para me avisar!...*». Amado (2001: 295 e sg.), com base nos testemunhos dos alunos elabora um rol de razões que tornam mais difícil gostar de um professor, para além das questões de ensino e, até, do estilo de gestão da aula:

- O professor tem manias e esquisitices
- O professor tem "tiques"
- O professor manifesta senilidade
- O professor tem um aspecto físico "desagradável
- O professor tem má apresentação e veste mal

A ***assertividade*** – Esta é a característica do professor que sabe fazer-se respeitar começando por respeitar os alunos, acredita neles e confere-lhes responsabilidades, censura e admoesta recordando a regra, tem em conta os comportamentos e não as pessoas (sem perder o humor, sem ser cínico, sarcástico ou ofensivo). Professor assertivo é, ainda, aquele que castiga os infractores, caso seja necessário, e desde que a punição obedeça aos princípios da *razoabilidade*, *adequação* e *consistência* (Amado, 2000: 46); é, também aquele com quem se pode ter uma conversa sobre problemas ou temas que interessam à juventude.

Estes quatro estilos de gestão do poder e das relações na aula traduzem-se, desde o «primeiro encontro» no início do ano, e no desenrolar do mesmo, numa complexa combinação de estratégias usadas pelo professor, na tentativa de fazer passar uma determinada imagem de si mesmo, e de, ao mesmo tempo adquirir o controlo das situações de aula. Amado (1998; 2001: 365-384) dá conta de todo um conjunto de fases no jogo de adaptação dos alunos à situação criada pela presença de cada novo professor, e que aqui apenas enumeramos:

- fase da observação
- fase das expectativas/especulação
- fase do teste
- fase da tipificação/estabilização

É claro que estas posturas dos alunos têm tudo a ver com as estratégias usadas pelos professores na sua auto-apresentação e que, igualmente, passamos a enumerar com uma breve caracterização retirada do autor (Amado, 2000b; 2001):

- ***Estratégia de aliciamento/sedução*** – «Trata-se de professores que se apresentam como *«bonzinhos»*, *«santinhos»*, com *«uma rodelinha em cima da cabeça»*; a tratar os alunos por *«meninos»* como se fossem *«bebés»*, *«como se fossem filhos»* (7.° ano), ou como crianças» (Amado, 2001: 373). A manter-se pelo ano, seria uma estratégia de puro permissivismo.

- ***Estratégia de dominação/intimidação*** – «Trata-se da estratégia que se concretiza por discursos ameaçadores, atitudes frias e aparência autoritária – *«alguns fizeram cara feia»* (Amado, 2001: 374). Esta é a estratégia dos autoritários; note-se que ela, por vezes é uma estratégia temporária, usada pelos professores para, através de alguma intimidação, poderem controlar os alunos. É, ainda, ao mesmo autor que vamos buscar a seguinte caracterização de um professor que utilizou essa estratégia inicial, elaborada pelos alunos de uma das turmas por ele estudadas (Amado, 1998): «trata-se do professor de Matemática, com cerca de trinta anos de experiência. É o que menos perturbação tem nas suas aulas, de entre todos os professores – *"É aula, é aula..."*, *"ninguém brinca"*, dizem os alunos. No entanto (...) ele próprio declara a turma como uma *"das piores que teve na vida"*, fazendo coro com os restantes professores, em Conselho Disciplinar. Na sua apresentação inicial *"pareceu pretender instaurar uma disciplina férrea"*, surgindo como *"autoritário"*, *"aborrecido"* e exigente, segundo o testemunho de vários alunos, criando alguma apreensão logo vingada pelo humor (bem na linha das interpretações de Dubberley, 1995, e Woods, 1979), e sarcasmo estudantil: *"Só por curiosidade, esse professor costuma trazer alguns estagiários com ele, e um é muito alto e muito gordo, parece uma caixa forte, uma é muito pequenina, até mais baixa que eu, e mais dois estagiários "normais". Nós quando os vimos todos inventámos um nome e ficou: o rei zangão e os zangõezinhos "(aluna).* Apesar dessa apresentação vista como pouco simpática, tornou-se *"mais amigável"* e *"tem-se mostrado bom professor"*, compreensivo e preocupado – o que também testemunhámos frequentemente e se ilustra, por exemplo, com estas suas palavras, proferidas em reunião de professores: *"verifica-se que a maioria quer aprender. Têm que se arranjar processos de interessar o aluno pelos assuntos da aula. Imagine-se que tormento não será para eles estar horas e horas sem interesse nas aulas. Quando assim é, pois é evidente que eles precisam de arranjar processos para passar o tempo. Sem interesse pelo assunto não pode haver disciplina». (Professor).* A sua "acção disciplinadora", que passa pelo cumprimento das ameaças e pelo controlo total da turma – *"tanto chama a atenção aos da frente como aos de trás"* – obrigando os alunos a estar com atenção, revela-se eficaz».

• ***Estratégia de integração/mobilização do apoio*** – «É a estratégia dos professores que criam situações no sentido de ouvir a opinião dos alunos sobre regras e estilos de gestão na aula (leitura e discussão de textos literários sobre o tema), que promovem algum tipo de contrato e que, de algum modo, dão também uma nota de bom humor e de capacidade de integrar o humor dos alunos (sem cair na sedução)» (Amado, 2001: 377).

• ***Estratégia de assertividade/mestria das interacções*** – «Designo deste modo a estratégia daquele professor que explicita regras, justifica procedimentos e se mostra exigente no seu cumprimento desde o «primeiro encontro» sem, contudo, deixar de fazer transparecer compreensão e humor, dentro de uma linha de coerência de princípios e atitudes – revelando "mestria nas interacções"» (Amado, 2001: 379).

Embora caindo no risco de alguma repetição e sobreposição de textos, julgamos que esta caracterização (produzida com base na observação etnográfica e no diálogo com os alunos) se torna importante na medida em que dá uma visão bastante completa da importância que alunos e professores atribuem ao «primeiro encontro» como um momento chave (recordemos a característica da *historicidade* de uma aula) na construção da relação futura.

1.5. *QUE FUNÇÕES POSSUEM OS DESVIOS ÀS REGRAS?*

Perante os factores descritos e considerados preponderantes, que *funções* pode desempenhar a infracção às regras da aula e a simples perturbação da aula?

Como diz Amado (2001: 430) «a leitura destas "funções" só se pode fazer tendo em conta múltiplos aspectos, como a acção ou situação vivida no momento do incidente, a história relacional da turma ou do aluno com determinado professor, o lugar ocupado pelo aluno na estrutura informal da turma, a fase da aula, o período do ano, e muitos outros factores. Um mesmo comportamento, tendo em conta esses aspectos do contexto, pode desempenhar as mais diversas funções». Julgamos interessante fazer a análise de alguns casos de indisciplina que classificamos a este nível, a partir do estudo já referido, e procurar inferir as suas funções, com base na categorização de Estrela (1986) e eventuais novas categorias. Percorreremos, assim, alguns dos principais desvios que colocamos a este 1.° nível, assinalados por Amado (1998) e representados no quadro seguinte:

Sub-categoria	*Comportamentos desviantes do aluno*
«Desvios» às regras da comunicação verbal.	Conversas, comentários, respostas coletivas, gritos, barulhos, confusão.
«Desvios» às regras da comunicação não-verbal.	Risos, olhares, gestos, posturas/posições, aspecto exterior.
«Desvios» às regras da «mobilidade».	Deslocações não autorizadas, brincadeiras
«Desvios» ao cumprimento da tarefa.	Actividades fora da tarefa, falta de material, falta de pontualidade, falta de assiduidade

A – Funções e finalidades dos desvios às regras da comunicação verbal

No contexto de uma aula estes comportamentos aparecem com funções variadas, quer de ordem psicossociológica, quer de ordem pedagógica. Entre as *funções de ordem psicossocial*, destacam-se as de *contacto* e as de *exibição*:

- **a função de *contacto*** está patente numa conversa episódica, «*uma conversinha ou outra com o parceiro do lado*», sem grandes repercussões no «funcionamento» da aula e a que, numa ocasião ou noutra, ninguém escapa, na medida em que traduz uma necessidade de comunicação do aluno e de partilha da interpretação da situação (cf. Dubet e Martuccelli, 1996).
- **a função de *exibição*** traduz uma intenção de chamar a atenção sobre si e (ou) de procurar prestígio entre os colegas.

Entre as *funções de carácter pedagógico*, seguindo a categorização de Estrela (1986), a este nível predominam:

- **comportamentos de *proposição***: trata-se de comportamentos que «visam mudar a situação, torná-la mais agradável, facilitar ou resistir à tarefa e que produzem uma modificação da situação favorável ao aluno». O seguinte incidente, relatado em entrevista de grupo, é um exemplo típico do êxito que o exercício da função de proposição consegue alcançar com certos professores, provocando mudanças na situação de acordo com as pretensões dos alunos: «*A Setora (de EVT) até é porreira... no outro dia 'tavam todos a chatear e a cantar... e ela disse que na próxima aula, quem quisesse, e nas outras aulas podia trazer um Walkman*» ...

• **comportamentos de *evitamento***: durante a aula, comportamentos há que constituem «*uma pausa*» e traduzem a necessidade dela, levando o aluno a subtrair-se à tarefa, provisória ou definitivamente. O depoimento seguinte, obtido depois de uma observação, exprime um exemplo de fuga provisória e que tem a ver com o cansaço da aluna: «*também fiquei cansada... e depois estive a falar um bocado com ela... e depois voltei outra vez a estar com atenção...*». Enfim, em alguns casos, com certos alunos e professores, o aluno pode chegar ao extremo de provocar a própria expulsão da aula, uma vez que não esteja interessado: «*...a aula fica uma seca e então eles fazem tudo para virem para a rua. (...) Praticamente pedem à Setora para ir para a rua...*».

• **comportamentos de *obstrução:*** trata-se de comportamentos que, pelas suas características, «*não deixam o setor dar matéria*», desviando-o, portanto da acção principal; é, sobretudo, o caso de muitos barulhos, comentários e gritos, que não contêm em si um carácter ofensivo, mas obrigam a actuações de controlo e a percas de tempo. Os estilos de relação e as características habituais da prática docente podem originar um tipo de obstrução na forma de uma espécie de jogo ou *desafio*. É claro que a intensidade da obstrução varia consoante a turma, os alunos envolvidos e o professor. Os alunos reconhecem que, neste caso, se trata de comportamentos altamente desgastantes para o professor, e esse desgaste, esse pôr à prova os seus nervos, parece ser mesmo o objectivo destes alunos, como inferimos de vários incidentes relatados ou observados: «*nós só queríamos irritá-la*». Como diz Denscombe (1985: 158), «na luta para limitar ou para se opor ao controlo exercido pelo professor, a aspereza do barulho tem sido evidente para gerações e gerações de alunos cujos professores têm tentado impor silêncio na aula».

• **comportamentos de *imposição*** – tendo em conta as «fases da aula» a conversa, o barulho e a confusão pode querer impor um certo prolongamento do recreio, ou a abreviação da aula; no dizer de um aluno, «*no início... é o acalmar do intervalo*». Segundo Estrela (1986: 295), este tipo de comportamento «visa não só a contestação da organização estabelecida, mas também a imposição de uma contra-organização», o que faz com que o «desvio» não seja uma simples ausência de regras mas, pelo contrário, a tentativa de impor outras criadas pelo desviante e de acordo com os seus interesses – assim se explica, como já referimos, o barulho aquando da marcação de um teste, e que visa obter a limitação da matéria a avaliar ou a transferência de uma data.

B – Funções e finalidades dos desvios às regras da comunicação não verbal

O tratamento desta questão parece um pouco mais complexo do que a análise dos «desvios à comunicação verbal», o que obriga a ter em conta cada um das condutas, para além das situações e circunstâncias em que elas se verificam

- **O riso e o sorriso**

Na rede legítima da comunicação, os risos e sorrisos (do professor e do aluno) podem ter como objectivo, criar uma atmosfera propícia aos propósitos da escola, quer pela criação de uma cumplicidade entre professores e alunos, quer pela «atenuação» dos processos de controlo (Tavares, 1988). Contudo, frequentemente, estas condutas servem objectivos menos de acordo com o que se espera na sala de aula: «o riso pode ser também uma reacção contra a autoridade e a rotina», diz Woods (1979). Podemos ver neste tipo de comportamentos, uma função psicossocial de *contacto* com os pares (dir-se-ia, uma função «natural» nas interacções, mas marginal à rede legítima de comunicação), e, por vezes, de *exibição* («*...ria-se como quem 'tava a ver que tinha feito um grande triunfo*»). Neste caso tais comportamentos só são objecto de repressão por parte do professor quando a sua frequência e intensidade ultrapassa essas funções e adquire outras mais ofensivas e graves.

O riso e o sorriso com *funções de obstrução* surge, aparentemente, «*sem quê nem para quê*», ou «*fora de propósito e exagerado*» (como ouvimos dizer a uma professora), mas é o suficiente para provocar o desgaste e a corrosão das interacções e acentua o «stress» do professor (do tipo, «*mucking about*», segundo Woods, 1979: m105). Trata-se daquele tipo de riso que «sacode mesmo os mais sábios (...), reduz ao desespero, mais do que um homem estimável, devotado, afectuoso» (Alain, *apud* Imbert, 1983: 58).

A este propósito, pudemos observar (Amado, 1998) um incidente em que uma professora, depois de ter perguntado a um aluno porque se estava a rir e tendo ele respondido que não sabia, fez o seguinte comentário: «*Se não sabes porque é que te estás a rir... as pessoas que riem sem razão são patetas.*». Este comentário (que aliás despertou grande indignação de toda a turma por toda ela se ter sentido insultada) demonstra bem o poder corrosivo e conflituoso do riso «stressante»; mais do que isso, revela igualmente a grande necessidade que o professor tem de fazer a leitura correcta e consequente destes fenómenos e não se ficar, como é usual, pela rotulação do aluno e das suas condutas, como «*patetas*» ou «*anormais*».

Uma das características fundamentais do riso «obstrutivo» é, com efeito, a sua generalização a toda a turma, por uma espécie de cumplicidade com os iniciadores, ou, como diria Postic (1984: 92), por uma espécie de «confraternização da alegria» que «modifica a distância, derrubando pela zombaria, a personagem docente». Trata-se de um processo que, nos termos de uma professora, se dá por «arrastamento», contagiando-se uns aos outros: «*eles vão-se arrastando. E se um conta a piada, então riem-se todos. Talvez, se pensassem um bocado, talvez não se rissem e não iam atrás, mas como estão todos em bloco, acompanham*». De facto, o riso e o sorriso comunicam, cimentam e reforçam a acção individual e colectiva de obstrução da aula, acompanhando, habitualmente, outros tipos de comportamento desviante, desestabilizando o ambiente (tal como o professor o pretende organizar ou organizado), atingindo, muito especialmente, docentes que não cumprem as expectativas que habitualmente os alunos têm deles, quer do ponto de vista do ensino, quer do ponto de vista da relação e da afirmação da autoridade.

Autores vários, como Woods (1979), Everhart (*apud* Torres Santomé, 1992) e Dubberley (1995: 91)[8], têm procurado interpretar o riso e o sorriso dos alunos, vendo nele formas de obstrução do trabalho, de resistência e de teste às suas capacidade de liderança. Pudemos observar, na linha dos autores anteriormente referidos, que o tipo de reacção do professor ao humor dos alunos está na base da tipificação que estes mesmos alunos elaboram relativamente a cada um dos vários docentes, logo no primeiro dia de aulas; é nesse contexto que muito do riso, sorriso e humor em geral, do aluno, tem como função *testar* o professor, ou, nas palavras de um aluno, é «*para ver como eles reagem*».

---

[8] Cf. em Amado, 2001: 110.

• **O olhar**

O aluno atento e empenhado é, supostamente, aquele que, do ponto de vista da «cultura da escola», evita as interacções horizontais não solicitadas pelo professor e se envolve na tarefa; pelo contrário, os alunos desinteressados e desatentos, habitualmente, não olham para o professor, nem este para eles, a não ser por uma questão de vigilância mútua (Correia, 1996).

A função de *contacto* é essencial ao olhar; com olhares se exprimem ideias e emoções e se regulam as interacções. Nas metodologias tradicionais e tradicionais-melhoradas de ensino, o olhar e gesto do aluno deve demonstrar atenção, empenhamento, respeito pelas pessoas e pela situação em si; tudo o que for para além disso e que se faça notar, quer pela frequência quer pela natureza do gesto e do olhar, é reprimido pelo professor.

Não menos "preocupante" para os professores é a função de *evitamento* que o olhar pode conter, enquanto evasão momentânea ou sistemática das tarefas propostas; é o comportamento típico dos «*ausentes no interior*», a que se referem testemunhos como este: «*O Joaquim e o Carlos não estão a fazer nada na escola senão passearem-se. Mantiveram-se o tempo todo ausentes, contemplando a rua!...*»; ou, ainda como este registo de uma Acta de Conselho de Turma: «*O Luís mostra falta de motivação marcada pelo desejo de ficar junto às janelas para ver o que se passa no exterior*». Parece ser o que Mclaren (1992: 218) designa por «olhar perdido», «não domesticado», que traduz «uma rebelião ontológica» e que faz do olho «o órgão mais fenomenologicamente subversivo da resistência estudantil».

• **Gestos e movimentos**

No que respeita aos gestos dos alunos há também os que decorrem da aceitação das normas de funcionamento das aulas, ao mesmo tempo que poderão exprimir o interesse e a atenção. As observações mostram a predominância de gestos como o "pôr o dedo no ar para participar" e os acenos de cabeça. Tal como o riso, também os olhares e os gestos assumem funções diferenciadas e importantes, mas nem sempre na linha da contenção corpórea que a escola, pelo menos a tradicional, preconiza. O *contacto* e a *exibição* (por exemplo, um aluno que se penteia na aula...) são funções frequentes destes "pequenos" desvios. Mas também estamos, frequentemente, perante gestos que se situam, muitos deles, no limite entre a mera «ludicidade» e o desafio à autoridade, servindo a subversão dos valores tradicionais, ridicularizando o professor e as suas exigências ou valores (– por exemplo, a paródia frequente da expressão e dos trejeitos do professor), e contrapondo outras visões e outras atitudes aos valores da escola.

Existe um conjunto de outros comportamentos que, de algum modo, se incluem na linha dos motor-gestuais, como *beber, comer e mascar*. Relativamente aos dois primeiros, a não ser em casos muito excepcionais, é ponto assente a sua proibição na aula; quanto a mascar pastilhas elásticas, o consenso não é geral – pudemos observar aulas onde a proibição se fazia sentir, enquanto noutras não havia impedimentos; isso é, aliás, um bom exemplo de como o comportamento desviante é, na realidade, «uma construção» e está, em muitas casos, intimamente relacionado com a representação que os actores possuem acerca desses mesmos comportamentos – *mascar* tanto pode ser uma «falta de respeito», como um hábito de pouco significado na interacção e, por isso, não seria estranho registá-lo no próprio professor. Por outro lado, é interessante como um problema tão simples pode criar conflitos na escola e gerar a necessidade de se construírem os consensos necessários, em relação a esta como a outras exigências.

- **Posturas incorrectas**

Tudo quanto foi dito anteriormente se afirma, também, relativamente às posições ou posturas do aluno na aula. Prova a investigação que «existe uma relação directa entre a postura e o contexto social: de facto, no interior de certos contextos há regras precisas que definem quais as posturas que são correctas e quais as que o não são» (Ricci Bitti e Zani, 1993: 144). Existem, portanto, posições «normais» na aula que traduzem envolvimento e atenção; outras, porém, como *estar sentado de lado* ou *de costas para a parede*, *de pernas estendidas «como no café»*, com a *cabeça reclinada sobre o braço* em cima da carteira, estar *virado para trás*, etc., etc., são, na maioria dos casos, conotadas, pelos professores, como faltas de atenção, de interesse, de envolvimento na tarefa, denotando aborrecimento e provocando perturbação; como tal, são reprimidas: «*...por exemplo, nós estamos um bocadinho virados para o lado e é logo 'põe-te direito...'. Estão sempre a chamar-nos por uma coisinha de nada... Se temos o pé fora é 'põe-o dentro...'*».

Trata-se de um conjunto de exigências difíceis de entender para certos alunos. O excerto de diálogo seguinte é paradigmático: «... *eu estou sempre assim encostado... e ela vai... só faz isto... e eu sei logo... que é "endireita-te" (...) há alguns professores que não gostam... outros que não se importam que eu faça isso... e prontos.»*. Este testemunho é rico, na medida em que revela a complexidade deste tipo de comportamentos no que respeita às motivações que lhe estão por de trás, às funções que ele exerce, e ao modo como é encarado pelos diversos professores. Para alguns docentes, a posição do aluno não passará de uma simples procura de conforto (função de conforto) que, desde que não ultrapasse determinados limites, é bem tolerada; para outros, porém, ela traduz desinteresse e, até mesmo, falta de respeito pela situação de aula (contestação da autoridade e dos valores da escola) – a esse propósito é sintomática a frequência com que é invocada a semelhança do modo de estar sentado de alguns alunos com as posturas descontraídas próprias de quem está no café. Não há dúvida que certos alunos usam e abusam destas posições para, também por esse meio, comunicarem a sua oposição à autoridade do professor e às exigências da escola. Por outro lado, ouvimos de um professor que «*a maneira como estão sentados favorece ou não a atenção dos outros*» – talvez porque crie situações de contacto visual indevido (funções de contacto e de obstrução).

Mas não há dúvida de que neste tipo de comportamentos, como noutros deste nível, (em especial as conversas paralelas), conta muito o factor *cansaço*; por isso, muitas vezes, eles são considerados pelo próprio aluno como «*uma forma de descansar*».

Esta questão leva-nos a invocar uma outra, a dos **ritmos biológicos** e a sua relação com os comportamentos da criança e do aluno. Estudos efectuados pôr Montagner (1988) alertam para o facto de que «as funções fisiológicas e uma parte importante do funcionamento psicológico do aluno, estão submetidos a ritmos, quer de períodos curtos de poucos momentos ou de poucas horas (ritmos ultradianos), quer de cerca de 24 horas (ritmos circadianos) ou mais longos ainda (ritmos infradianos)». O ritmo de trabalho escolar (diário, semanal, anual...), tal como é planificado, nada tem a ver com considerações de ordem cronobiológica e nem mesmo de ordem psicopedagógica, o que pode fazer chegar à situação paradoxal de quanto mais tempo se passar na escola menos se aprender (Cherkaoui, *apud* Estrela, 2002: 44).

Por outro lado, Amado (1989), na análise das 774 participações disciplinares, verificou que as mesmas relatavam incidentes que, na sua distribuição ao longo das horas do dia, apontavam para 2 momentos críticos: 10,30 – 12,30 no período da manhã, e 15,30 – 17,30 no período da tarde, o que pode indiciar a existência de períodos de maior saturação. É também a consideração destes aspectos que faz com que muitos professores sejam tolerantes relativamente às posturas físicas do aluno na sala de aula. A esse propósito ouvimos (Amado, 1998) de um Presidente de Conselho Directivo, em intervenção «disciplinadora» quando chamado a intervir numa aula de 8.° ano, significativas palavras: «*Como tu sabes (referindo-se ao aluno Pessanha), há um limite para todas as coisas. Também não vou pretender defender uma disciplina de tal modo férrea que vos não deixe sequer mexer na cadeira. Na vossa idade tive aulas em que bastava apoiar a cabeça para apanhar uma varada. Distraía-me, não me estava a portar mal, distraía-me a apanhava logo uma varada. Não há necessidade de chegarmos a esse ponto e até acho que num clima de mais à vontade se aprende melhor*» *(8.°E).*

Contudo, esse grau de tolerância pode não existir como modo de estar habitual e sistemático de um ou outro professor, o que é inadmissível para o aluno: «*Não podemos estar sempre direitos e a olhar para o quadro*» (7.° ano), recorrendo-se, então, ao desvio clandestino, ou à compensação noutras disciplinas em que a vigilância é (ou devia ser, na perspectiva discente) mais frouxa: «*Eu não estou sossegadinha (nas aulas de T. O.) mas eu... para isso bem bastam as de Geografia, de Português, que temos que estar sempre atentas. Ali acho que podíamos ter um bocadinho mais de liberdade*» *(7.°A).*

• **Aspecto exterior e apresentação**

O vestuário, o penteado e outros elementos do aspecto exterior, embora, por vezes, provoque alguns problemas, não foram, na nossa investigação de campo (Amado, 1998), objecto de tratamento disciplinar por parte dos professores; parece tratar-se de uma questão em que eles não se imiscuem desde que não seja perturbadora da aula, reservando-a para a esfera do próprio aluno que, desse modo, livremente, enviará a imagem que quiser dar de si – não sem, aquando de reuniões e na sala de professores, produzirem alguns comentários a propósito, e até exprimirem algumas expectativas em função desses sinais exteriores. Numa dessas conversas de sala de professores ouvimos de um dos professores do Camilo, aluno com muitos comportamentos problemáticos e de apresentação provocadora, que «*não sabe onde é que ele vai parar, com aquele cabelo à punk e modos de ser pouco habituais...*».

Esses comportamentos dão sempre lugar a determinadas preocupações e expectativas por parte dos professores; e não há dúvidas, como diz Gentzbittel (1993: 29), que eles «estão sempre carregadas de um significado menos anedótico do que parece. Não se encontra sempre a explicação. Mas dever-se-ia sempre procurá-la». Ou, ainda, como diz Lopes (1997: 152), o «corpo não é neutro e é através dele que se exprimem símbolos, visões do mundo e rituais»; para o Camilo, o cabelo «espetado» era uma forma de se identificar com um determinado grupo musical que ele admirava e que, desse modo, exprimia, também, alguma contestação aos constrangimentos que lhe eram impostos na escola, na família e na sociedade.

Noutros contextos escolares é objecto de controvérsia o uso do boné dentro da sala de aula; julgamos que este acessório ajuda, por vezes, a construir uma determinada imagem social perante o grupo de alunos. Contudo, junto dos professores, esta prática tanto pode ser interpretada como uma falta de respeito à sua autoridade, como uma afirmação da individualidade do aluno que não colide com o bom funcionamento da aula. A primeira interpretação torna-se compreensível à luz de uma visão tradicional e conservadora das relações hierárquicas que reserva a prerrogativa de manter a cabeça coberta, em certos lugares marcados pela sua transcendência e sacralidade, aos representantes do topo da autoridade social, política, religiosa (o rei, o papa, o juiz). As tensões e antagonismos que a este respeito se vivem espelham a realidade de um tempo de viragem entre a expressão hegemónica da posição hierárquica e da autoridade tradicional e a expressão da individualidade e da força das culturas juvenis.

C – Funções e finalidades dos movimentos «perturbadores»

No espaço da sala de aula, com organização e configuração determinadas (abertas ou fechadas), as leituras permitidas pelos códigos proxémicos não são, de todo, psicológica, pedagógica e ideologicamente neutras. Pelo contrário, tais leituras revelam uma organização e ocupação do espaço e um conjunto de regras de distribuição e de utilização relacionadas intimamente com as características do "aparelho disciplinar" (é a «arte da distribuição» como tecnologia disciplinar, de que fala Foucault, 1987), com a presença ou ausência de estímulos à autonomia do aluno, com as noções de "poder", de "saber" e de "ensino-aprendizagem", com as expectativas e preferências dos professores (ainda que inconscientes – Dupont, 1985; Postic, 1984), e com as características da personalidade dos mesmos – o professor "inseguro" refugia-se num território que represente a sua autoridade (Miller, 1961, *apud* Gordillo, 1993). A observação revela que, mesmo em aulas do tipo tradicional-melhorado, expositivo-interrogativas, o volume de deslocações da iniciativa do professor é bastante maior do que o do aluno, marcando-se, também desse modo, mais vincadamente a diferença entre o estatuto de ambos: enquanto o primeiro é inteiramente autónomo nas suas deslocações, o segundo fica limitado, normalmente, ao seu *hábitat*, e precisa de autorização prévia para o ultrapassar. Como diz Albano Estrela: "na escola, à semelhança do que acontece no templo ou, até, na parada do quartel, existem lugares sacralizados pela autoridade e pela tradição, que parecem dar segurança a quem os utiliza" (Estrela, 1984). Teremos em conta nesta rubrica, dois tipos de desvio às regras essenciais, relativas à contenção do corpo: «deslocações não autorizadas» e «brincadeiras».

• **Deslocações não autorizadas**

A distribuição tradicional do espaço da aula é uma pesada herança que continua a caracterizar-se, na actualidade, como inibidora de iniciativas pessoais de exploração do espaço e de relações sociais agradáveis, afectivamente positivas, definidora e consagradora de estatutos de superioridade e de inferioridade, e veiculadora de normas e valores. Hoje, como ontem "o aluno deve adquirir os esquemas operatórios que lhe permitam adaptar o seu esquema corporal e a sua acção ao espaço que lhe está reservado» (Estrela, 1986: 178).

Apesar de se tratar de uma herança de séculos, ao longo dos quais tantas vezes foi posta em causa nos seus fundamentos políticos, éticos e pedagógicos, tal prática de distribuição do "corpo" mantém-se ainda nos nossos dias, quase como se fosse a única possível, e quase como se fosse totalmente "inocente". Parece que o único e verdadeiro abalo surge mais sob a pressão das práticas desviantes dos próprios alunos, do que a partir das considerações e apelos de pedagogos e de investigadores das Ciências da Educação.

A própria natureza deste desvio leva a supor que a sua função psicossocial, por natureza, é a do *contacto*. Sobretudo em ambiente permissivo, verifica-se a deslocação de alunos para junto de determinados colegas que partilham os mesmos interesses e as mesmas leituras da situação, reforçando-se, mutuamente, no impedimento da acção didáctica do professor. Em presença de professores com menos determinação e firmeza, onde o ambiente «de sempre» é normalmente agitado, as deslocações dão-se com frequência, aumentando a perturbação e impedindo qualquer avanço da aula, atingindo foros de obstrução.

- **Brincadeiras**

Inclui-se nesta rubrica todo um conjunto de comportamentos de morfologia muito variada, como arremessar objectos aos colegas (sem carácter de violência), enviar mensagens escritas, jogos (do galo, da batalha naval), soprar bolas de papel mascado de modo a fixarem-se no tecto, ruídos, etc., etc... Todos estes comportamentos se verificam na generalidade das turmas, onde, «à limitação motriz e espacial se juntam limitações de interesses lúdicos, sem que os estímulos sejam eliminados», como também o observou Estrela (1986: 279); um ou outro comportamento regista-se, porém, com mais frequência, como se de um hábito se tratasse, nesta ou naquela turma. Quase sempre a iniciativa parte de um núcleo restrito de alunos, no interior do grupo, que, no entanto, em muitos casos se alastra para toda a turma.

A *função de evitamento* traduz-se por comportamentos como fazer «desenhos» (comportamento muito frequente) e jogar em relativa clandestinidade; tais comportamentos são indicadores de situações de aborrecimento e enfado, ou uma espécie de hábito ou moda (prestigiante?) na turma, a que não escapam nem mesmo os melhores alunos (que também se deixam levar pela maré...), como pudemos observar. E porque estes comportamentos sempre se verificam mesmo com os melhores alunos, estamos de acordo com Vaz da Silva (1998) ao afirmar que estes alunos, mesmo os mais «difíceis» procuram o «compromisso desejável entre os prazeres e alegrias da vida e do companheirismo e as exigências que a escolaridade e os professores lhes impõem».

A *função de obstrução* parece mais evidente quando os alunos estão diante daquele tipo de docentes que eles consideram incapazes de controlar a turma: («Gozamos com ela... Gozamos... a maior parte... O pior é os papéis, não é... aquela parte dos papéis, das canetas, vão parar...». Em contrapartida, alguns alunos mais problemáticos facilmente passam a barreira da mera obstrução para entrarem numa escalada de comportamentos que vão até ao confronto e à contestação do professor.

D – Funções e finalidades dos desvios ao cumprimento da tarefa

À semelhança das instituições cujo objectivo principal é o da «produção», a escola exige que o aluno se dedique com interesse à sua tarefa escolar, carregue consigo os materiais necessários e exerça a actividade dentro dos limites temporais e espaciais que foram superiormente determinados. Esta aproximação entre as instituições de «produção» e a escola de massas não é de todo injustificável, já que em ambas pode imperar (e assim se tem verificado em certos momentos da história social), o culto da *racionalidade* e da *eficácia* (o que na escola se traduziu, por exemplo, pela «hegemonização do saber escolar» em detrimento da «memória cultural» (Iturra, 1990; Vieira, 1992; Reis, 1993), pela introdução das «máquinas de ensinar» e da sucedânea «pedagogia por objectivos» em nome da *eficácia* que mais não traduz do que uma visão economicista da educação. Neste âmbito, coloca-se um conjunto de regras e de exigências promotoras da produção, cujo incumprimento voluntário é, quase sempre, objecto de sanção. Essas regras dizem respeito a, pelo menos, quatro áreas distintas: envolvimento na tarefa proposta pelo professor na situação de aula; apresentação do trabalho escolar necessário para a aula; pontualidade e assiduidade. A tais regras correspondem, respectivamente, quatro tipos de desvio:

• **Actividade fora-da-tarefa**

Consiste em actividades escolares (ou para-escolares, como ler o jornal, por exemplo), que não são as propostas pelo professor nem pertinentes para aquele momento da aula, como, fazer os «trabalhos de casa», estudar para outra disciplina, etc.; com funções em que se mistura o *evitamento* e a *proposição*, é fácil inferir a relação directa deste tipo de comportamentos com metodologias pouco motivadoras, falta de vigilância, desinteresse do aluno, reforço dos colegas, etc.; existem, também, situações específicas para estes desvios, como a proximidade de algum teste ou a iminência de ter de se apresentar qualquer trabalho académico.

• ***Falta de material***

Este comportamento traduz um desvio à exigência de apresentação do trabalho escolar, frequentemente sancionado pelos professores, e, pelo menos com certos professores e em certas turmas, atinge a *função de obstrução* à aula. Pudemos observar uma professora, em turma bastante problemática, que, no início do ano, se encarregava de levar «*um saco de livros*» e de comprar, com dinheiro do seu bolso, na papelaria da escola, cartolinas para trabalhos na aula, porque na turma ninguém o fazia. Desistiu de esperar uma mudança voluntária de atitudes, passando a «*marcar falta de material*» e a escrever as sua exigência no livro de sumários («*... porque alguns costumavam dizer que eu não tinha pedido aquele material!...*».

• ***Falta de pontualidade***

A maioria dos professores é relativamente tolerante nesta questão: é sempre possível um pequeno atraso fortuito, por este ou aquele motivo. Às vezes esta tolerância é usada como moeda de troca pelos professores: permite-se que o aluno entre embora se marque falta; se o seu comportamento for adequado durante a aula, a falta poderá ser relevada. O pior está nos abusos sistemáticos, premeditados, quase sempre para alargar um pouco mais o recreio e encurtar a aula: é a *função de imposição*, bem reconhecida pelos professores e pelos alunos. Segundo um professor, «*... eles sabem perfeitamente que devem entrar a horas... querem é perder tempo, explorar o caso*».

• ***Falta de assiduidade***

Trata-se de um comportamento através do qual os alunos ostentam, por um lado, uma espécie de direito que querem usufruir sem interferências de ninguém; por outro lado, afirmam, desse modo, a sua falta de interesse pelas aulas em geral, ou por uma disciplina, em particular. Como afirma Robinson (1978) «... a falta às aulas é um meio intermitente de evitar o aborrecimento, consumando-se a fuga no facto de abandonar a escola o mais depressa possível».

Resumidamente e em jeito de conclusão, poder-se-ia dizer que a indisciplina a este 1.° nível assume, sobretudo, as «funções psicossociais» de «*contacto*», sendo, em grande medida (como acontece com a «conversa» e com os «barulhos») formas de comunicação e de expressão (Dubet e Martuccelli, 1996), e as «funções pedagógicas» de *proposição*, *evitamento* e *obstrução* (seguindo a classificação de Estrela, 1986). Daí podermos considerar que os comportamentos que põem em causa o clima de trabalho (tal como o professor o planeia), constituem indicadores de que algo vai mal na aula e na escola, do ponto de vista pedagógico, psicológico e sociológico (Denscombe, 1985); para lá do que já se disse, sobre as grandes responsabilidades do professor, estes comportamentos podem ser, ainda:

- a expressão de «um fraco domínio dos códigos que regem o espaço escolar», por parte dos alunos (Felouzis, 1994: 101);
- a confirmação de que a escola é um lugar de constrangimento e de coerção (a meio caminho entre o familiar e o social – Estrela, 1986), onde a criança e o jovem é obrigado a estar como o «adulto» quer que ele esteja (num espaço exíguo, carteiras em fila, direito, a olhar para a frente....);
- o indicador de que a escola é o lugar onde a criança e o jovem tem de aprender aquilo que o «adulto» quer que ele aprenda, numa verdadeira «domesticação» do agir e do pensar – e como meio para alcançar esse propósito lá estará, à mão do professor, toda uma panóplia de «procedimentos de disciplinação», dos mais silenciosos aos mais ruidosos e, às vezes, até aos mais pungentes, mas quase todos de «eficácia» bem reduzida como pudemos verificar quer através dos testemunhos e da observação de campo, quer através da análise de questionário de opinião (Amado, 1989, 1998; Freire, 1990, 2001).

Entendida, deste modo, a indisciplina, pelo menos ao nível da infracção às regras da aula é, de algum modo, uma mensagem enviada ao professor no sentido de que se altere o estado de coisas nos subsistemas «das tarefas académicas» e da «participação social».

Dito de outro modo, poder-se-ia dizer que ela é uma manifestação do «contra-poder» do aluno, de modo a pressionar o professor a criar situações mais favoráveis: aulas onde se aprenda (a maioria dos alunos quer aprender e «passar» de ano) mas mais divertidas; menos fadiga e mais atenção aos ritmos biológicos e psicológicos da criança e do jovem; e, enfim... onde se estabeleçam regras claras, cujo fundamento se entenda... regras que orientem, de facto, a actividade curricular e as relações... «A autoridade na escola só terá legitimidade para discutir a necessidade de disciplina e participação do educando se estiver ligada à vida pessoal e social dos sujeitos que recebe. Isto é, se estiver voltada à construção de personalidades singulares em consonância com a construção de objectivos colectivos» (Ghiggi, 2002: 144).

Face aos constrangimentos da escola e da aula (a exigência do silêncio, o saber «esperar», o manter-se no seu lugar e numa postura «digna», o ter de aceitar que o corrijam e o critiquem, o ter de suportar tarefas monótonas, o ser constantemente avaliado...) a indisciplina, a este nível (a transgressão de regras e de rituais), cumpre funções (microssociais e micropolíticas) fundamentais para a «manutenção» e «sobrevivência» do aluno e do grupo-turma – aspectos que a cultura de escola deve ter em atenção.

II PARTE

PERTURBAÇÃO DAS RELAÇÕES ENTRE PARES
2.° NÍVEL DE INDISCIPLINA

PERTURBAÇÃO DAS RELAÇÕES ENTRE PARES

O quotidiano escolar proporciona uma enorme diversidade de vivências sociais, desde as situações nas quais professor e alunos e alunos entre si se encontram num quadro formal de ensino e de aprendizagem, em que uns e outros possuem estatutos e papéis bem definidos, até às situações de carácter mais ou menos informal, nas quais os papéis e os estatutos decorrem das interacções que se desenvolvem espontaneamente entre pares. É num e noutro quadro de vivências, no grupo-turma ou noutros contextos, que a escola cumpre a sua função formativa, proporcionando aos alunos durante o seu percurso escolar o contacto com experiências, modelos, valores, normas e regras de carácter social que vão orientando as suas vidas e ajudando a estruturar as suas personalidades. As relações entre pares constituem um aspecto fundamental do desenvolvimento sócio-emocional e sócio-cognitivo da criança e do adolescente, contribuindo de forma decisiva para a construção social do conhecimento, para o conhecimento de si próprio e dos outros. Elas proporcionam um contexto de aprendizagem social, através do qual a criança e o adolescente vivenciam relações de carácter horizontal que implicam reciprocidade, entreajuda, aceitação mútua e mesmo amizade. Neste sentido, é extremamente importante que nos diferentes contextos em que a criança e o adolescente se inserem (designadamente na família e na escola) sejam proporcionadas boas oportunidades de contacto entre pares.

Na 1.ª Parte abordámos a indisciplina que está intimamente associada ao que poderemos chamar o "núcleo duro" do acto pedagógico; indisciplina da qual poderemos dizer que tem um carácter "pedagógico", no sentido em que se manifesta em situações pedagógicas concretas e a propósito delas e em que apresenta determinadas funções pedagógicas, psicológicas e sociais, nas quais as características do trabalho pedagógico, o estatuto e os papéis do professor configuram aspectos centrais. Os principais factores deste tipo de indisciplina, reportados ao seu contexto pedagógico concreto, estão, como vimos, muito relacionados não só com as características pessoais do professor e o modo como planifica e conduz as actividades pedagógicas, mas também com as dinâmicas interaccionais que se desenvolvem na turma, considerando a sua liderança e regras formais, assim como eventuais lideranças e regras de carácter não formal. Se o professor aprender a ver este tipo de indisciplina não como um problema, mas como um sintoma de que algo vai mal, ele encontrará respostas muito mais adequadas e eficazes, porque mais preventivas e geradoras de bom clima relacional e de aprendizagem. É neste sentido que este tipo de indisciplina tem um carácter pedagógico e criativo (Estrela, 2002; Amado, 2001), porque constitui um alerta para o professor, que o pode ajudar a reformular o seu modo de agir, antecipando-se assim a uma escalada de situações de indisciplina cada vez mais gravosas para os diferentes intervenientes. O professor e a escola desfrutam, portanto, de uma grande margem de acção sobre esta vertente da (in)disciplina escolar.

Existe, porém, outro tipo de indisciplina que poderemos designar de "social", que pode manifestar-se em qualquer situação social, grupo ou organização, mas que assume contornos peculiares no caso da escola e do grupo-turma devido à especificidade destes contextos. Incluem-se aqui os comportamentos perturbadores das relações humanas com carácter violento, ou seja, os comportamentos em que alguém tenta de forma deliberada causar dano físico, psicológico ou moral a outrem, pondo em causa o uso dos seus direitos (Freire, 2001; Martins, 2003; Ortega Ruiz, 2003).

Se bem que os espaços sociais em que a escola se insere e, também, os diferentes níveis etários dos estudantes confiram características específicas às diferentes situações, é possível identificar alguns traços que se apresentam como dominantes nesta dimensão da indisciplina. É o que vamos tentar fazer nesta segunda parte.

2.1. *AS REGRAS E OS VALORES EM CAUSA*

A – A problemática geral da perturbação das relações entre pares.

Ao debruçarmo-nos sobre esta dimensão das relações entre pares (Almeida, 2000),, situamo-nos na perspectiva de contribuir para uma certa desmistificação do problema da convivialidade entre alunos na escola. Não temos uma visão "idealizada", "demasiado optimista", ou mesmo "romântica" da convivialidade social na escola (Lopes, 1996: 136), nem nos inscrevemos na tendência para considerar que a escola é palco de frequentes experiências negativas de rejeição e de agressão para muitas crianças e adolescentes. A maior parte das crianças e dos adolescentes desenvolve relações amigáveis com os seus colegas durante a maior parte do tempo em que se encontram na escola. As situações de agressão ocasional ou sistemática ocorrem durante períodos de curta duração e apenas uma minoria de alunos está envolvida num número elevado de situações de agressividade. Segundo Boulton (1998), a maior parte dos alunos só uma ou duas vezes, durante o seu percurso escolar, experimenta situações de agressão, mas estas podem ter um enorme reflexo na sua felicidade e bem-estar psicológico, como verificou através de entrevistas e de observações directas. É que o problema da agressividade entre pares, e respectivas consequências, não pode ser avaliado apenas pela sua frequência, mas pelo impacto que tem nas vidas quer daqueles que dele são vítimas, quer nas dos agressores e mesmo dos observadores. Este tipo de incidentes traduz-se principalmente por agressões verbais, danos físicos, morais e patrimoniais que afectam sobretudo o bem-estar e a dignidade dos colegas, e que, por isso, devem distinguir-se das simples brincadeiras sem propósitos ofensivos e «naturais» em grupos de crianças e adolescentes.

Nestas formas de indisciplina, os valores postos em causa são, essencialmente, o respeito mútuo (respeito pela integridade da pessoa e pela diferença entre as pessoas, seja ela física, psicológica, étnica, de estatuto social ou de género), a compreensão, a tolerância, a solidariedade, a amizade, a lealdade, a cooperação, valores que se considera deverem existir dentro de uma turma e de uma escola, se bem que se possa dizer que não adquiram todos o mesmo limiar de importância na vida escolar. O valor do "respeito", aqui como na relação professor-aluno, parece ser a "pedra de toque" das relações interpessoais. Outros, como a amizade e a cooperação, permanecem muitas vezes na fronteira com a camaradagem ou o companheirismo (no caso da amizade), ou com o apoio ou entreajuda ou, mesmo, a mera tolerância (no caso da cooperação).

Os alunos, de um modo geral, apresentam uma forte consciência da necessidade de se respeitar um conjunto apreciável de normas e regras que tornam possível a existência de um clima de trabalho e de boas relações humanas em cada escola e em cada turma. O valor do respeito mútuo (pela palavra do outro, pelos seus pertences, pelo direito a aprender, pelo direito ao bem-estar, enfim pelo outro enquanto pessoa na sua integridade) parece ser dominante no pensamento dos alunos acerca das regras reguladoras das relações entre pares. Isso mesmo observou Freire (1990: 71 e segs.) ao entrevistar alunos do 7.° e do 9.° ano, que privilegiam as seguintes regras: "não gozar com os colegas", "não roubar objectos aos colegas", "permitir que os colegas aprendam", "não interromper o discurso dos colegas" e "criar um bom clima relacional". Neste estudo parece esboçar-se uma certa tendência para uma maior verbalização deste tipo de regras por parte dos alunos considerados indisciplinados do que nos considerados disciplinados, tanto no 7.° como no 9.° anos. Todavia, as perspectivas dos alunos acerca desta dimensão da indisciplina acrescentam que são os alunos considerados disciplinados que apresentam maior sensibilidade às infracções a este tipo de regras (a diferença é bastante mais evidente no 9.° ano). Os alunos considerados indisciplinados, provavelmente, estão conscientes da importância das regras, mas isso não os impede de as infringirem e, mesmo, de não valorizarem os actos que correspondem a tais infracções.

Na aula, os comportamentos que põem em causas as regras formais que regulam as relações entre pares, além de infringirem as regras de trabalho atingem, fundamentalmente, o clima relacional.

É nos espaços exteriores à sala de aula, ou seja, nos recreios, nos corredores, no bar ou na cantina, ou mesmo nas imediações da escola, que estas situações têm maior expressão e a sua existência pode afectar todo o clima social da escola (Pereira, 2002; Henriques, 2007; Rodrigues, 2007).

A fim de proporcionarmos uma imagem vivida desta dimensão da indisciplina damos a palavra aos professores de duas escolas portuguesas (Freire, 2001):

> "(...) *surgem muitas zangas entre eles.... rapazes com rapazes e até muito raparigas com raparigas, que é uma coisa que a mim me tem impressionado bastante... resolvem a maior parte dos problemas que eles têm uns com os outros... resolvem-nos batendo-se uns aos outros... e às vezes de uma forma tão agressiva que é preciso que as pessoas [os professores]... intervenham para os separar (...) na maior parte das vezes até são motivos... próprios da idade deles... namoricos e outras coisas parecidas... o que me choca é ver que na ideia deles tudo se resolve... à tareia uns aos outros... principalmente*

os alunos dos sétimos anos (...) "(Professora da escola da Quinta dos Álamos);

"... fora da sala de aula... das coisas que eu noto (...) é mais a agressão entre eles (...) cá fora... noto a nível das brincadeiras entre eles... são todas muito agressivas... os jogos... muito mais agressivos.. aqueles jogos, que eu nem conhecia da **batata frita** em que todos levam [pancada] e depois lutas (...) antes de entrarem *[na aula]*, é a puxarem-se uns aos outros, é a baterem-se..." *(Professora da escola da Quinta dos Álamos);*

"...começa logo à entrada, eles entram assim de qualquer maneira... a falar alto uns com os outros e a chamar aqueles **OH ESTÚPIDO**... assim esse tipo de linguagem... a tal agressão verbal.." *(Professora da escola da Quinta dos Álamos)*. "(...) eles são agressivos em relação a eles próprios, entre eles (...) vêm cá *[ao conselho executivo]* queixar-se porque um lhe cuspiu em cima ou porque lhe arranharam ou porque outro o empurrou nas escadas... mostrar a mochila que está cuspida... ele rasgou-me o blusão... coisas deste género... (...)" *(Professora da escola da Malva-rosa);*

"... havia frequentemente situações em que... havia conflitos abertos entre miúdos e eles funcionam muito como bairros, os do mesmo bairro defendiam os daquele bairro e os do outro... era duas, digamos duas claques... a torcer cada uma pelo seu lutador, digamos, era um bocado assim que funcionava" *(Professora da escola da Malva-rosa)*.

Jogo rude e violência

É muito importante que os educadores distingam com nitidez as situações que são violentas (porque há um agressor ou agressores e uma vítima) daquelas em que mesmo com uso da força física não existem estes papéis. É o caso do **jogo rude,** que é uma situação bastante frequente, particularmente nos rapazes, na fase do desenvolvimento que corresponde aos primeiros anos de escolaridade. Nesta fase, são muito vulgares o jogo de contacto físico e a simulação de lutas, em que os pares de "lutadores" ou os pequenos grupos se digladiam, se perseguem, agarram, deitam ao chão, "medem forças", mas em que todos reconhecem na situação uma brincadeira, um jogo, mesmo que às vezes tenha algumas consequências severas. Por sua vez, as brincadeiras tipo gracejos, zombarias, se são divertidas e não incluem desprezo ou sarcasmo, não devem ser consideradas nas situações de agressão; elas são muitas vezes motivo de sorrisos, de alegria e podem mesmo ser facilitadoras das relações humanas entre iguais. Como diz Ortega Ruiz, (1998: 48), *"o problema aparece quando a brincadeira se torna pesada, o seu conteúdo é insultuoso ou insolente, ou está formulada com um sentido de humor excessivamente sarcástico, que esconde uma dose de má intenção e ridiculariza pessoas presentes ou ausentes"*. A dificuldade em estabelecer os limites entre a brincadeira e a agressão torna-se problemática para o educador e também para o investigador pelo facto de que os alunos que abusam verbal ou fisicamente dos seus colegas afirmam que é uma brincadeira. A opinião da vítima assim como a dos espectadores é muito importante, porque quando se trata efectivamente de agressão estes não têm a mesma interpretação da situação que o agressor.

(A partir de Freire, 2001)

Como se observa nestes, como em muitos outros testemunhos possíveis, a maior parte das referências dizem respeito a comportamentos e situações de agressividade que se traduzem fundamentalmente em pequenas disputas ou brigas, embora de forma episódica surjam incidentes efectivamente violentos.

A observação directa e sistemática realizada por Freire (2001) nas mesmas escolas indica que a frequência destes comportamentos é muito mais baixa[9] do que o discurso dos professores deixa prever, o que indicia o impacto que estas situações têm no quotidiano dos professores. A observação mostra que estes comportamentos e situações raramente têm um carácter repetitivo e sistemático de acção agressora de um aluno ou grupo de alunos sobre um colega vítima; pelo contrário, parece que ocorrem, a maior parte das vezes, de forma circunstancial e episódica. Tal não

[9] Diferentes estudos revelam a frequência muitíssimo baixa deste tipo de comportamentos e situações relativamente àqueles que incluímos no 1.° nível (Espírito Santo, 1994; Amado, 1998; Caldeira, 2000; Freire, 2001).

pode levar-nos a negligenciá-los, em caso algum, dado que a sua gravidade intrínseca leva frequentemente a um grande sofrimento e mal-estar por parte de quem os vive, particularmente se a sua ocorrência é frequente.

B – O fenómeno particular dos maus-tratos entre iguais (o bullying)

Efectivamente, as situações mais problemáticas são aquelas em que se estabelece uma relação de poder assimétrica entre dois ou mais alunos, na qual um deles (ou um grupo) desempenha de forma repetida, sistemática e intencional o papel de agressor sobre outro que se submete ao papel de vítima. Neste caso estamos perante um fenómeno típico de violência entre pares, designado em língua inglesa por *bullying* ou *mobbing* e que em língua portuguesa poderemos chamar de ***maus-tratos entre iguais***, ou ***perseguição e humilhação persistente*** Este tipo de violência caracteriza-se fundamentalmente pela intenção deliberada de causar sofrimento ao outro (mais fraco) que pode traduzir-se por dor física ou perturbação emocional.

Como referem Costa e Vale (1998: 14) "o *bullying* não se limita à agressividade física aberta, englobando na realidade um contínuo de comportamento agressivo onde são referidos comportamentos como: chamar nomes, "dizer coisas"; espalhar rumores ou enviar recados desagradáveis ou insultuosos; fechar numa sala; excluir ou isolar socialmente; danificar bens; agredir fisicamente; violentar sexualmente". Para uma melhor compreensão do fenómeno é fundamental que o educador ou o investigador esteja atento quer ao que se designa por *bullying* directo (ataque relativamente directo sobre a vítima, como por exemplo bater, chamar nomes), quer ao *bullying* indirecto (isolamento social ou exclusão intencional de um grupo). Cerezo Ramirez (1999: 133/134) identifica as seguintes formas de *bullying*:

- *físico*: atacar fisicamente outra pessoa, roubar ou danificar os seus pertences;
- *verbal*: chamar nomes, opor-se com atitude desafiadora e ameaçar;
- *indirecto*: espalhar rumores pejorativos, excluir socialmente.

Se bem que os maus-tratos entre iguais se manifestem de várias formas, a mais frequente é "chamar nomes", seguindo-se a agressão física e a ameaça. Os rapazes são vítimas mais frequentes de agressão física e de ameaça que as raparigas. Estas geralmente são vítimas de *bullying indirecto*, como seja, o isolamento ou a exclusão social forçada (ninguém lhes dirige a palavra) ou espalharem rumores acerca delas. A partir de um recente estudo realizado com 242 alunos de uma escola do 3.° ciclo, Freire, Veiga Simão e Ferreira (2006) referem que na amostra estudada os dados sugerem que os maus-tratos entre iguais não são um fenómeno predominantemente masculino; se é certo que o género masculino é predominante no grupo dos agressores, já o grupo das vítimas é predominantemente feminino (se bem que mais associado à agressão não física). Os abusos sexuais e raciais são formas particularmente perturbadoras de maus tratos; as raparigas são geralmente as vítimas do primeiro tipo de abuso e os rapazes são mais frequentemente vítimas de abuso racial. Estas formas de abuso podem tomar como alvo apenas a vítima ou também serem extensivas à família, cultura e comunidade a que aquela pertence.

Ter em conta as consequências deste tipo de indisciplina – os comportamentos perturbadores das relações entre colegas – ajuda a compreender a sua natureza e gravidade. Qualquer tipo de situação que perturbe com alguma intensidade as relações interpessoais dos alunos de uma turma gera consequências quer ao nível do turma enquanto grupo, (baixando o seu rendimento, gerando mal-estar entre os seus diferentes membros), quer, e em particular, ao aluno-vítima. Estas situações, especialmente se atingem o mesmo aluno com alguma frequência e intensidade, e este se vê sistematicamente ameaçado no ambiente escolar, baixam a sua auto-estima e autoconfiança, a sua noção de controlo sobre o meio, levando-o a refugiar-se, muitas vezes, no silêncio e na não-participação; pode tornar-se também agressor, refugiar-se em grupos rivais; alterar o comportamento de modo a agradar aos agressores, a ser integrado no seu grupo, ainda que isso signifique renunciar a valores pro-escolares (Amado, 2001: 435). Tudo depende da própria estrutura da personalidade do aluno e da organização e dinâmica social da turma. Algumas destas consequências podem perdurar ao longo de toda a vida, reflectindo-se numa maior tendência para a depressão e em maiores dificuldades de inserção social, como diversos estudos de *follow up* revelaram (Olweus, 2000; Shwartz *et al.*, 1998).

Por outro lado, o envolvimento sistemático do aluno-agressor em situações de agressividade tem, igualmente, graves consequências pessoais e sociais. O aluno sistematicamente agressor interioriza um modo de lidar com os outros baseado no uso da força e de outros tipos de poder, o que marca a sua personalidade e o seu modo de estar em sociedade, com reflexos muito negativos na idade adulta. A incidência de problemas de delinquência neste tipo de jovens é bastante superior à daqueles que não apresentam este tipo de comportamento (Olweus, 2000: 34/35; Smith, e Sharp, 1998: 8; Cowie et *al*: 88; Tattum e Tattum, 1997: 74).

Os alunos observadores são também afectados, uma vez que, se as situações se repetem frequentemente, como acontece em algumas escolas, sentem-se impotentes para nelas intervir, e, pior do que isso, aprendem a ser indiferentes e a tomar atitudes de distanciamento e de não intervenção activa em situações que causam sofrimento ao outro, com evidentes reflexos no seu desenvolvimento sócio-moral e na criação de uma sociedade em que cada membro se "preocupe" com o bem-estar de todos os outros.

2.2. *CARACTERÍSTICAS DOS ALUNOS AGRESSORES E VÍTIMAS*

Enquanto «brincadeiras» estes comportamentos surgem como iniciativa de qualquer aluno (Smith, 1997); quando, possuem um grau mais ofensivo, transformando-se em situações verdadeiramente perturbadoras das relações interpessoais, estão associados a contextos específicos, sendo da iniciativa de um aluno, de um pequeno número alunos, ou de uma turma pouco coesa.

Em sala de aula, a sua ocorrência frequente e repetida ao longo do tempo tem como principal cenário as aulas de um pequeno número de professores (Amado, 2001). No contexto da sua investigação, o mesmo autor observou que «uma grande parte destes incidentes ficou a dever-se a alunos-caso; a maior frequência verificou-se no 8.° ano (62%), incidindo, muito especialmente, na turma-caso do 8.°E (44%); em turmas pouco coesas, como esta, torna-se mesmo difícil distinguir onde começa a responsabilidade de indivíduos e começa a dos grupos; há uma espécie de continuidade circular entre certos indivíduos que iniciam os desvios (das palavras aos actos, dos olhares aos cheiros), os grupos que se formam em torno deles e a quem esses desvios «*se pegam*», e a turma que se "*contagia*" na totalidade (p. 436).

De facto, este processo pode gerar uma aparência de *coesão na turma*; mas, como observou Baginha (1997), a partir do estudo da dinâmica de uma "turma considerada indisciplinada", se, por um lado, parece existir *coesão* identificada com a vontade de afrontar a autoridade e, por vezes, a pessoa do professor, por outro lado, ela é concomitante com uma frequente ocorrência de conflitos entre colegas. Como afirma um professor entrevistado nesse estudo: "*ressalta na turma o sentimento de que os alunos* ***todos juntos*** *constituem uma* ***ameaça****, envolvendo-se em conflitos com o professor, para além de simultaneamente se zangarem entre si*" (p. 179).

No contexto escolar observado por Amado (1998), esta dimensão do fenómeno da indisciplina parece ter uma incidência crescente até ao 8.° ano. De facto, na turma do 9.° o autor não registou casos destes e, mesmo, no 8.°R (turma constituída só por repetentes) a percentagem foi "apenas" de 13% dos incidentes desta natureza. Esta diminuição das agressões entre pares (à medida que os alunos avançam na idade e no ano de escolaridade) tem sido notada também noutras investigações (Pereira e colaboradores, 1996; Ortega Ruiz e Mora-Merchan, 1997). Freire (2001) salienta, porém, a importância do factor clima de escola; de entre as duas escolas-caso estudadas pela autora, aquela em cujo clima se identificou uma forte preocupação com a prevenção da indisciplina e, em particular, com a criação de boas relações humanas, revelou um decréscimo destas situações do 7.° para o 8.° ano, enquanto na escola onde esses aspectos eram descurados tal não se verificou.

Este aspecto da evolução do comportamento social estará, muito provavelmente, associado não só ao efeito da própria escolarização como ao próprio desenvolvimento moral do adolescente; isso mesmo se reflecte nas mudanças que alguns autores observaram nas representações dos estudantes acerca dos comportamentos de indisciplina (Estrela, 1986; Freire, 1990; 1995). Esta última autora, por exemplo, verificou haver nos alunos do 9.° ano «uma maior tolerância em relação aos comportamentos de evasão e uma maior penalização dos comportamentos mais perturbadores da relação pedagógica, incluindo nestes as manifestações agressivas entre alunos» (1995: 764).

Enquanto a maior parte dos alunos faz um percurso de interiorização dos valores escolares e sociais e de assimilação das normas e das regras instituídas quer na escola quer na sociedade em geral, ocorre paralelamente uma progressiva diferenciação de um pequeno grupo de alunos (principalmente do sexo masculino) que mantém um comportamento transgressor e, por vezes, agressivo e cada vez mais lesivo do bem-estar dos outros.

Freire (2001), a partir do estudo longitudinal que conduziu com uma amostra de 64 alunos, salienta: "o comportamento de indisciplina persistente e sistemático é um fenómeno restrito a um grupo reduzido de alunos, progressivo e lento, mais lento ainda no grupo das alunas do que no dos alunos" (p. 535).

Qualquer tentativa de caracterização dos alunos que manifestam um comportamento agressivo para com os seus colegas forçosamente leva-nos a considerar um amplo conjunto de aspectos de ordem pessoal, psicossocial, familiar, sócio-cultural, mas também escolar.

Os estudos sobre a indisciplina revelam uma grande multiplicidade de situações relativas à agressividade entre pares, desde alunos em que uma componente psicopatológica pode ser dominante na explicação do seu comportamento e em que o comportamento agressivo face aos seus pares é disperso (ora com uns colegas, ora com outros) e está associado a problemas de concentração nas actividades escolares e de insucesso escolar (ver o caso do Nando[10]), até alunos em que as situações de agressividade muito localizadas no tempo e em relação a determinados colegas e circunstâncias, não estão associadas a outros problemas disciplinares

[10] As crianças e adolescentes que sofrem de *déficit* de atenção e hiperactividade ("attention deficit hyperactivity disorder" – ADHD) são frequentemente caracterizadas por apresentarem algumas dificuldades a nível social e das relações interpessoais, sendo muitas vezes rejeitados pelos seus pares (Hinshaw e Melnick, 1995: 627). Estes autores, citando a American Psychiatric Association (1994) afirmam: as *áreas de sintomas primários que permitem o diagnóstico da ADHD reflectem níveis de falta de atenção inapropriados, impulsividade e hiperactividade motora, que aparecem pelo menos em dois contextos (ex.°, casa e escola), que persistem pelo menos durante seis meses e que estão presentes desde os 6 anos de idade ou antes*. Outras características por vezes associadas às crianças com ADHD incluem problemas de aprendizagem e falta de sucesso escolar, assim como padrões de comportamento agressivo, sendo as relações com os pares uma área altamente problemática. Os rapazes apresentam maior vulnerabilidade a este tipo de problema do que as raparigas (Shaw *et al*, 1996: 697; Lopes, 1998: 70).

(ver o caso do Mário e o caso da Rita), passando pelos casos em que a agressão é sistemática e prolongada no tempo (ver os casos "Criança frágil" e "Na paragem do autocarro", na quinta parte).

Para a maior parte dos alunos, "o comportamento de indisciplina não é uma característica constante, mas constitui uma resposta específica a uma situação concreta" (Freire, 2001: 538). No que se refere à agressividade entre pares, muitas crianças e especialmente muitos adolescentes, sendo pacíficos e amistosos nas suas relações com os colegas em geral, são capazes de em determinadas situações reagir agressivamente, sentindo-se vítimas, por exemplo, de discriminação racial, étnica, sexual ou social (ver o caso do Mário e o caso da Rita, na quinta parte).

O caso do Nando

O Nando era um rapaz de origem luso-africana que vivia com os pais e os irmãos. Entrou para o 7.° ano com 13 anos de idade e não transitou de ano no final desse ano lectivo. Durante os dois anos de observação nas aulas revelou uma postura quase permanente de grande agitação motora. O Nando era o caso de um aluno que apresentava dificuldades no campo disciplinar aos diversos níveis (o registo de comportamentos de indisciplina na aula considerando as diferentes categorias que se apresentam no gráfico acima revela uma média geral e por categoria superior à média da amostra dos alunos estudados). Contudo, é no domínio das relações entre pares que o seu comportamento revelou mais dificuldades.

No 2° ano, observou-se um aumento dos comportamentos de distracção (rir, fazer rir os colegas, brincar com objectos, etc.) e de movimentos não permitidos pelos professores (deslocar-se na sala quando tal não é esperado, voltar-se constantemente para trás, mudar de lugar sem autorização, balançar-se continuamente na cadeira). No 1.° ano, registaram-se comportamentos perturbadores da relação professor/aluno (subverter o discurso do professor, contestar o professor) muito acima da média da amostra, enquanto no 2.° ano não foi observado qualquer comportamento que se incluísse nesta categoria. Todavia, no que diz respeito aos **comportamentos perturbadores da relação com os colegas** a situação manteve-se nos dois anos, ou seja, este aluno apresentou uma frequência média de comportamentos deste tipo (por exemplo, estragar material dos colegas, ameaçar ou insultar os colegas) muitíssimo superior à média dos alunos da amostra. Os comportamentos incluídos na categoria barulho (gritar, cantar alto, fazer barulho com objectos) sofrem uma relativa redução. O comportamento muito agitado deste aluno, bem como os problemas ligados à relação com colegas, associados ao insucesso escolar, parecem indiciar um quadro de ADHD (Déficit de atenção e hiperactividade), cuja confirmação necessitava de outros instrumentos de diagnóstico que não foram utilizados.

(A partir de Freire, 2001)

O caso do Mário

O Mário era um aluno de origem africana, integrado numa família, emigrante em Portugal, constituída por mãe e três filhos; o pai estava ausente. A separação da família era consequência da situação de guerra vivida no seu país. A mãe, educadora de infância, não conseguia trabalho compatível com as suas habilitações, em Portugal, e passavam por uma situação económica e social muito precária. Entrou com 13 anos de idade para o 7.° ano, na escola onde o estudo foi realizado. No final do 1.° ano do estudo transitou para o 8.° ano. Nos dois anos de observação, que o estudo longitudinal contemplou, fez parte de turmas que na escola eram consideradas indisciplinadas. O comportamento do Mário em sala de aula era sempre bastante adequado ao esperado, ou seja, participava nas actividades, estabelecia boas relações com os colegas e com os professores. Todavia, no 2.° ano de observação esteve envolvido num dos poucos incidentes com violência física observados durante este estudo, o qual se desenvolveu sempre no espaço do recreio. Tratou-se de um incidente que foi o culminar de uma situação de *bullying* de que Mário era vítima, com componentes de carácter racial.

(A partir de Freire, 2001)

O caso da Rita

A Rita era uma aluna de origem lusa, que vivia com avó. Os pais tinham uma situação económico-social muito precária; o pai era estivador e à data do estudo encontrava-se a cumprir pena numa prisão. A Rita era uma adolescente bastante sociável, mantinha um bom relacionamento com a avó e também com os professores e colegas na escola. Apesar da sua situação sócio-familiar, possuía na turma um bom estatuto social e era unia aluna razoável a nível de aproveitamento. Aparentemente mantinha boas relações com a aluna líder da turma, bastante reconhecida e prestigiada pelos colegas. Mas, certo dia no final do 8.° ano, no início de uma aula de Ciências Naturais, desencadeou-se um incidente entre ambas, com grande agressividade física. Em entrevista realizada posteriormente, Rita ao reflectir sobre a situação descreveu-a como o culminar de uma situação de vitimização de que era persistentemente alvo por parte da colega e que tinha raízes nas relações de vizinhança existentes entre as famílias de ambas.

(A partir de Freire, 2001)

O caso particular dos maus-tratos entre iguais. As investigações nacionais (Pereira, Almeida, Valente, e Mendonça, 1996; Pereira, Neto e Smith, 1997; Marques, 2001; Ferreira e Pereira, 2001; Pires, 2001; Pereira, 2002; Martins: 2003)) em sintonia com os trabalhos internacionais sobre o tema, têm vindo a equacionar um conjunto de características e sinais pessoais que podem ser vistos como um alerta para professores, auxiliares de educação e pais, ajudando a prevenir e a lidar com crianças e adolescentes vítimas ou agressoras de forma repetida e sistemática (ver na 5.ª parte – Sinais de alerta de situações de maus tratos entre iguais).

- Os estudantes do género masculino têm vindo a ser descritos como os mais afectados, tanto no papel de vítimas como no de agressores, se bem que como já dissemos atrás estudos recentes contrariam esta leitura. Também parece existir uma relação significativa entre o estatuto de vítima e o baixo estatuto social. Martins (2003), ao estudar as variáveis psicossociais ligadas à agressão e à vitimação em adolescentes portugueses, observou uma acentuada desvalorização do estatuto das vítimas junto dos seus pares, o que não se verificou no caso dos alunos-agressores. Muitos investigadores convergem no sentido de caracterizar as crianças e adolescentes vítimas como carentes em determinadas competências sociais. São pouco assertivos, "interpretam mal os sinais sociais ou têm um leque de respostas muito reduzido", "são caracterizados pelo medo e falta de confiança", "são ansiosos" e "muitas vezes excluídos socialmente" (Pereira, 2002: 25/26). Os agressores são mais confiantes e com melhor inserção social na turma, tendo frequentemente um ambiente familiar hostil ou de excessiva permissividade e, portanto, sem adequada supervisão e afecto.

- Ao longo da escolaridade parece ocorrer um certo decréscimo também da agressão/vitimação sistemática, sendo todavia os anos de transição de ciclos de escolaridade e as mudanças de escola, momentos de maior vulnerabilidade. Parece, porém, que é maior o decréscimo de vítimas do que de agressores ao longo da escolaridade, quando falamos de *bullying*. Nos anos de escolaridade pós-primeiro ciclo, o estatuto de agressor parece estar associado ao insucesso escolar e a um estatuto social baixo.

2.3. *QUE «TIPOS» DE PROFESSORES SÃO AQUELES EM CUJAS AULAS OCORREM MAIS FREQUENTEMENTE ESTES PROBLEMAS?*

Estes comportamentos de agressividade entre pares, quando têm por cenário a aula, ocorrerem com maior frequência com aqueles professores em cujas aulas os outros «níveis» de indisciplina têm igualmente maior incidência. Enfim, parece que o traço mais comum desse pequeno grupo de professores é a falta de assertividade. Por vezes, a esta característica está também associada a falta de competências de gestão de sala de aula. A má organização da aula ou mesmo a sua ausência, a falta de motivação e de concentração dos alunos gera a ocorrência de conversas colaterais em que os alunos trazem para a aula as suas vivências no recreio que, por vezes, passam pela utilização de linguagem grosseira, mesmo de agressão verbal e em situações muito restritas de agressão física em plena aula. Nem sempre se observa uma associação entre falta de competência pedagógica, falta de capacidade de observação das relações entre os alunos e falta de assertividade dos professores, mas quando tal acontece a frequência de comportamentos de agressão entre alunos é muito maior.

Um outro aspecto que a observação revela é que, em sala de aula, mesmo os alunos mais problemáticos agem de modo diverso conforme as situações pedagógicas que se lhe apresentam e, com determinados professores, são capazes de revelar um comportamento adequado. A maior parte dos alunos que são agressivos para os seus colegas em sala de aula só o são na presença de determinados professores. Apenas, casos muito excepcionais, como o do aluno Nando que apresentámos acima, fogem a este padrão. O Nando apresentava o mesmo padrão de comportamento com todos os professores, desde os mais permissivos aos mais autoritários, passando pelos mais assertivos, o que mudava era o modo de agir dos professores face ao seu comportamento (com os mais autoritários, muitas vezes, era expulso logo que a aula se iniciava, com os permissivos a sua dispersão e os comportamentos provocadores face aos colegas atingia níveis muito elevados e com os professores mais assertivos o nível de frequência de tais situações baixava).

Porque a maior parte das situações perturbadoras enquadradas neste nível de indisciplina ocorrem fora da sala de aula, predominantemente no recreio, o factor escola é preponderante (Freire, 2001; Pires, 2001), como veremos no tópico seguinte.

2.4. *QUE FACTORES SÃO PREPONDERANTES?*

A abordagem deste domínio da indisciplina, e particularmente a abordagem da problemática da agressividade na escola, tem incidido preferencialmente nos factores negativos, ou seja, nos factores de risco que podem desencadear os diferentes tipos de comportamento agressivo. Factores de risco que compreendem também aqueles que estão associados à própria organização social característica das sociedades ditas desenvolvidas, desde a "ruptura dos laços sociais", à exposição frequente a situações de "stress e conflito" até à propagação de uma "cultura de violência" através dos meios audiovisuais de comunicação de massas (Brendtro e Long, 1995).

Um número cada vez maior de crianças e de adolescentes desenvolve-se em famílias profundamente afectadas por diversos factores: divórcio, pobreza, drogas, violência doméstica, guerra, doença e outras situações que interferem com uma vivência familiar normal. Por outro lado, rapidamente se passou de uma sociedade comunitária a uma sociedade que assenta numa "fina" estrutura familiar. Mesmo as famílias biparentais cada vez têm menos elementos (um ou dois filhos), aumentam as famílias monoparentais e a ligação da família à comunidade local é cada vez mais ténue, na maior parte dos contextos urbanos. Muitas vezes, a conjuntura específica da família leva a que crianças e adolescentes sejam vítimas de um contínuo *stress*, que estando para além dos seus limites de tolerância, levam a "adoptar estilos de comportamento defensivo muito rígidos" ou a "assumir uma tendência para a hostilidade com todos os adultos, tomando um porte ameaçador na escola e acreditando que o respeito só se pode ganhar através da intimidação" (p. 53).

A vivência de relações securizantes precoces, com os adultos, permite a que a criança, mais tarde adolescente, vá construindo a capacidade de autocontrolo e de manifestar comportamentos sociais positivos. Werner (1990, cit. por Lee *et al.*, 1994) encontrou um conjunto de características comuns entre crianças que se revelaram resistentes ao *stress*, mesmo vivendo em ambientes de pobreza e de adversidade; tratava-se de crianças:

- amadas pelos seus pares e pelos adultos e que tinham competências sociais e interpessoais bem desenvolvidas.
- que tinham uma atitude mais reflexiva do que impulsiva face ao seu próprio comportamento; tinham também um bom sentido de auto-estima, autoconfiança e de responsabilidade pessoal.
- que possuíam um *locus* de controlo interno, ou seja, que acreditavam na sua capacidade de influenciar positivamente o meio em que viviam.

Estas características serão elas próprias decorrentes das experiências pessoais que a criança e o adolescente vivem, designadamente na sua família e, neste contexto, os modelos de autoridade utilizados pelos pais parecem constituir um factor extremamente importante. Já na primeira parte desenvolvemos alguns dos aspectos constituintes dos factores familiares; acrescentaremos aqui apenas mais algumas notas. Num estudo realizado com estudantes portugueses, Veiga (1999: 150) verificou que "os alunos com pais inconsistentes[11] são os mais indisciplinados e violentos, os que têm pior rendimento na escola e maior tendência para o consumo de drogas e para a delinquência; seguem-se os alunos com pais autoritários ou permissivos, estes últimos em grau semelhante. No lado oposto, os alunos com pais compreensivos têm um elevado autoconceito, obtêm boas notas e bom comportamento e apresentam elevadas perspectivas de realização pessoal e social". O autor salienta ainda que outros factores como "a falta de percepção de apoio parental, (...), a falta de coesão familiar, a falta de amizade dos irmãos e, ainda, outras precariedades de tipo económico-social" podem estar associados ao problema da violência na escola e mais tarde ao problema da delinquência (p.18).

Apesar da dimensão e das consequências do problema da agressividade na escola e em particular dos maus-tratos entre iguais, ele tem sido bastante negligenciado. Muitos adultos consideram-no inevitável na vida escolar e, por vezes, encaram-no mesmo como algo que faz parte da iniciação à idade adulta, particularmente no caso dos rapazes. Acerca da atitude dos pais face a este problema, Olweus (2000: 21) afirma: "os pais dos estudantes que são vítimas de maus-tratos e, em particular, daqueles que são agressores, estão pouco conscientes do problema e falam muito pouco com os seus filhos sobre ele". Peter Smith (1998: 51) salienta, igualmente, que muitos casos de agressão (cerca de metade) não são denunciados nem aos pais nem aos professores. Tattum e Tattum (1997: 76), a respeito da atitude dos adultos relativamente a este problema, vão muito mais longe denunciando, a partir das suas observações, que "alguns professores são bullies e passam modelos de agressividade aos alunos, que assim aprendem que a dominação e a intimidação constituem um modo de se conseguir o que se quer".

---

[11] O autor distingue 4 tipos de pais: *"uns insistem em continuar autoritários, impondo e castigando; outros assumem-se demasiado permissivos, tudo ou quase tudo permitindo; outros têm práticas inconsistentes, umas vezes permitem tudo e outras nada consentem; e outros, que desejaríamos fossem a maioria, têm uma educação orientada para a compreensão e a responsabilidade e funcionam como fontes de apoio".*

Para além dos factores de carácter social terem grande interferência no desenvolvimento da criança e do adolescente, podendo reflectir-se na assunção de um comportamento agressivo ou de um comportamento passivo, existem factores de carácter escolar que, também eles, apresentam fortes repercussões no modo de ser e de agir dos alunos que frequentam cada escola.

Os primeiros anos de escolaridade constituem um enorme desafio para o desenvolvimento da criança. Segundo Pianta *et al.* (1995: 296), as crianças, que nos primeiros contactos com a escola ou com o jardim-de-infância, têm relações com os seus educadores, caracterizadas como emocionalmente seguras, são mais capazes de se ultrapassar a si próprias, mais gregárias, melhor aceites, menos agressivas, menos tímidas e menos isoladas nas relações com os seus pares. Pelo contrário, as crianças com relações de dependência com os professores revelam maior isolamento e agressividade com os seus pares. As competências sociais das crianças, nomeadamente a maturidade e a confiança, parecem estar intimamente relacionadas com a qualidade das interacções precoces professor-criança, com os sentimentos da criança acerca dos professores e com a percepção destes acerca da relação professor-criança.

Nos diferentes anos de escolaridade, e tendo em conta a variabilidade dos incidentes perturbadores das relações entre pares, bem como as turmas e o tipo de professores com quem estes comportamentos se verificam com maior frequência, é possível afirmar (mais como hipótese de trabalho do que como conclusões estabelecidas) que entre os factores responsáveis por este tipo de comportamento na aula se deve contar a *falta de coesão* das turmas e a *falta de assertividade* dos professores. A propósito desta falta de assertividade diremos como Aquino (2000: 175) que «há, no contexto escolar, um *quantum* de violência "produtiva" embutida na relação professor-aluno, condição *sine qua non* para o funcionamento e efectivação da instituição escolar». Porém, o uso da ameaça, a despersonalização da relação, a falta de respeito pelo aluno, a inconsistência quase permanente imprimem no grupo um tal mal-estar e um clima desfavorável às boas relações humanas, que pode conduzir a situações de agressividade e de violência (ver o caso do professor Manuel em Nascimento, 2007).

É evidente que muitos outros factores haverá; a própria literatura revista acrescenta outros de grande importância, como a existência de um «*ethos*» escolar em que se promove a competição, a rivalidade e o desencontro, em lugar da preocupação com o «bem-estar» dos alunos, com a promoção dos valores da cooperação e da amizade (Ortega Ruiz e Mora-Merchan, 1997), e em que se verifica fraca responsabilização do "staff" por questões desta ordem (Burns, 1985); outra literatura aponta, também, para o facto de a indisciplina, a este «nível», ser mais frequente em escolas onde se verifique a sobrelotação e a inexistência de condições de convívio acolhedoras e atractivas (Medina Rivilla 1989: 63; Pereira *et al.*, 1996).

No já referido estudo de duas escolas-caso, Freire observou que numa delas (escola da Quinta dos Álamos) os alunos tendiam a melhorar substancialmente as relações com os seus colegas, ao longo do percurso escolar (designadamente do 7.° para o 9.° ano)[12]. Nessa escola, as relações entre professores e alunos tinham como traço dominante a **proximidade**, ao que estava associado o exercício de uma **autoridade** próxima, de uma vigilância distanciada, discreta e a valorização de um sistema normativo adequado às necessidades do quotidiano escolar. Esta postura face ao quotidiano escolar era extensiva não só aos professores em geral, como à direcção da escola e, mesmo, aos auxiliares de educação. O quadro 2.1. sintetiza as características mais relevantes do clima das duas escolas-caso.

[12] Também outros aspectos do percurso escolar dos alunos, tanto no domínio do comportamento como das aprendizagens, era mais positivo nesta escola.

QUADRO 2.1 – *Aspectos do clima de escola e percursos escolares*

Escola da Quinta dos Álamos *Percursos disciplinares e de aprendizagem mais positivos*	**Escola da Malva-rosa** *Percursos disciplinares e de aprendizagem menos positivos*
• Participação e colaboração dos professores na disciplina escolar. • Consistência dos professores no pensamento e na acção; congruência entre o pensamento e a acção. • Relação professor /aluno marcada pela proximidade, a autoridade e a consistência normativa. • Valorização preferencial das medidas de carácter preventivo (designadamente aquelas que são características do início do ano). • Aplicação de castigos menos penalizadores do aluno. • Aplicação de castigos mais penalizadores do aluno (maior frequência de expulsões da sala de aula e de suspensões). • Ligação escola-família formal e burocrática. • Sala de estudo (com apoio permanente de professores) e orientadora escolar permanente na escola e muito próxima das necessidades dos alunos. • Valorização das actividades desportivas curriculares e extra-curriculares.	• Falta de participação e de colaboração entre professores e dos professores com os órgãos directivos. • Falta de consistência entre os professores. • Grande diversidade de "estilos" relacionais. • Fraca valorização do sistema normativo e das práticas preventivas em geral. • Ligação escola-família pouco formal (frequência de contactos presenciais e telefónicos). • Inexistência de sala de estudo e orientadora escolar não permanente (esteve a maior parte do tempo ausente por doença no decurso da pesquisa, sem substituição). • Ausência de actividade desportiva extra-curricular. (A partir de Freire, 2001)

Os resultados desta investigação vêm ao encontro de outras pesquisas que revelam a importância do factor clima (ou *ethos*) de escola para uma acção mais preventiva e uma intervenção mais eficaz face aos problemas de indisciplina em geral e à agressão entre pares em particular. Nalgumas escolas, como na da Quinta dos Álamos, existe um clima de antecipação a estes problemas que se reflecte no desenvolvimento dos alunos, nos seus percursos escolares e na melhoria do bem-estar social na escola. São organizações escolares em que os seus profissionais, apesar de perceberem a multiplicidade de factores associados aos problemas disciplinares (muitos deles exteriores à vida da escola) crêem que o seu papel é decisivo na antecipação e na intervenção face aos mesmos (Maxwell, 1987).

Mais do que realçar um ou outro aspecto do clima de escola, é importante sublinhar a importância da partilha de atitudes, crenças, valores e práticas, resultante de processos de colaboração e de diálogo dentro da organização escolar. O incentivo que cada escola proporciona à colaboração entre professores e entre estes e outros profissionais parece estar intimamente ligado aos processos de socialização que nela se desenvolvem. Aquelas escolas, em que os novos professores se sentem aceites, apoiados e integrados, suscitam uma participação alargada de todos e uma partilha de responsabilidades que está associada quer ao desenvolvimento profissional dos professores quer às aprendizagens e comportamento dos alunos (Rosenholtz, 1989; Teddlie, 1994; Freiberg, *et al.*, 1995).

No estudo de Freire, que temos vindo a referir, na escola da Quinta dos Álamos observou-se este ambiente de integração e de assimilação dos novos professores, ao contrário da escola da Malva-rosa. A existência de práticas consistentes e de um pensamento congruente sobre as mesmas por parte de um *"núcleo duro"* de professores do quadro da escola da Quinta dos Álamos, bastante representado e activo ao nível dos órgãos de gestão da escola, poderá ser um factor relevante para a explicação desta realidade. Pelo contrário, na escola da Malva-rosa os professores do quadro, incluindo os membros dos órgãos de gestão, apresentavam grande divergência nas formas de pensar e de agir.

O pensar e o repensar colectivo da vida na escola, quer no âmbito das turmas e das equipas educativas, quer no âmbito de toda a comunidade escolar (isto é, que envolva professores, alunos, pessoal auxiliar e encarregados de educação), constitui um ponto de partida para a construção de uma atitude preventiva face aos problemas vividos em qualquer escola; além de colectivo, este repensar tem de ser consequente, criativo nas soluções e responsabilizador. Como afirma Ghiggi (2002: 174) «na justa medida em que pessoas, formadoras de pessoas, têm *qualidade* nas relações que oferecem e estabelecem, constituem-se autoridade sem valer-se de procedimentos autoritários ou licenciosos, abrigo às suas acções». Por outro lado, não pode ignorar-se a importância de estruturas que estimulem os alunos a envolverem-se em práticas tão importantes para o seu desenvolvimento psicossocial, como actividades desportivas, artísticas e culturais (Pereira, et al., 1996; Mooij, 1997; ver também sugestões múltiplas em Pereira, Neto & Smith, 1997 e em Pereira, 2002), sem esquecer a qualidade do processo de ensino-aprendizagem.

Na interpretação dos professores, os factores preponderantes situam-se na interconexão que se estabelece entre a escola e a família e que, neste caso se expressa através do confronto entre os códigos de conduta da escola e os códigos familiares e mesmo comunitários dos estudantes que a frequentam (Freire, 2001: 550). Mas, este confronto expressa-se tanto ao nível do conflito de valores entre professores e estudantes e de estudantes entre si, como no uso de códigos linguísticos diversos, muitas vezes antagónicos e difíceis de descodificar pelas diferentes partes e, ainda, através do uso de estratégias muito divergentes de resolução de conflitos (para uns a estratégia passa pelo confronto positivo, o diálogo e a concertação e para outros o uso do poder, mesmo que seja físico, é a solução).

Apesar do interesse de todos estes ângulos de análise e interpretação para a compreensão de um fenómeno tão complexo, os dados da observação – sobretudo os comportamentos perturbadores das relações entre pares exibidos pelos «alunos-caso» – exigem que, para além destes factores do âmbito escolar e cultural, se tenha em conta outros factores de natureza pessoal (possíveis distúrbios de personalidade, desejo de chamar a atenção sobre si próprio, exibicionismo, frustração de expectativas pessoais, talvez até algum sadismo, baixo nível de desenvolvimento moral) que, de algum modo, se combinam com os restantes factores.

2.5. *QUE FUNÇÕES? QUE SIGNIFICADOS?*

Estes comportamentos, no interior da aula e do ponto de vista pedagógico, podem servir, essencialmente uma função de *obstrução* – função tanto mais acentuada quanto, como foi dito acima, este tipo de comportamentos se verifica, de uma forma mais intensa, em aulas de professores pouco assertivos.

A maior parte das vezes este tipo de comportamentos não tem uma função de carácter pedagógico, dado que não visam pôr em causa o professor ou o processo de ensino-aprendizagem; muitos deles ocorrem noutros espaços que não a sala de aula e na ausência do professor. Os alunos, ao envolverem-se em conflitos entre si, ao agredirem-se uns aos outros, não o fazem com a intenção de obstruir ou perturbar o funcionamento da aula ou de pôr em causa a autoridade do professor ou as normas da escola. A maior parte das vezes estas situações surgem fruto das suas vivências informais no quotidiano escolar e têm como finalidade e função principal "*resolver*" as pequenas ou grandes querelas que se passam entre eles; ou seja, este tipo de situações tem fundamentalmente *funções de carácter psicológico ou psicossocial*. Os testemunhos dos alunos de turmas onde estas vivências tinham maior expressão revelaram que tais incidentes serviam a processos de «estimulação» mútua (as praxes e jogos agressivos que são "moda"); trata-se de formas de defesa do território pessoal e do grupo, constituem estratégias de «pressão» por parte de um grupo ou de um aluno sobre outro (geralmente mais fraco) e traduzem, também, pequenas vinganças inter-grupais (Amado, 1998: 135/155). Outras vezes, têm uma função de *retaliação* ou de *retribuição* pessoal face a situações de sofrimento (agressão verbal e física, discriminação de qualquer tipo, difamação, etc.) que alguns alunos infligem a outros. Os "pretextos" para tão incompreensíveis acções são diversos, como descreve Amado a partir da sua observação etnográfica; vão desde alguns defeitos físicos que são pequenos (ou grandes) estigmas que o aluno-vítima carrega durante toda a sua história escolar, ao mau e, também, ao bom desempenho académico, à origem social, étnica ou demográfica diferente da maioria, até ao facto de pertencer ao género feminino (as raparigas são mais frequentemente objecto de «gozo»; as características físicas e de comportamento feminino são frequentemente o objecto desse «gozo» ou até de abuso físico).

III PARTE

PROBLEMAS DA RELAÇÃO PROFESSOR-ALUNO

3.° NÍVEL DE INDISCIPLINA

PROBLEMAS DA RELAÇÃO PROFESSOR-ALUNO

Os comportamentos que afectam a relação professor-aluno são aqueles que, para além de prejudicarem as condições de trabalho e de infringirem as regras que as definem, vão além disso e põem em causa a dignidade do professor, como profissional e como pessoa. São também aqueles em que os conflitos e as relações de poder melhor se desenham e ganham corpo, constituindo-se como verdadeira oposição à autoridade institucional do professor.

3.1. *REGRAS E VALORES DA RELAÇÃO COM O PROFESSOR*

As regras que aqui são abaladas não visam directamente a tarefa, a produção; elas apontam, sim, para o clima relacional em que as actividades escolares se devem desenvolver e, como tal, estão sempre presentes em qualquer contexto e fase da aula; elas devem orientar e definir os rituais de relacionamento hierárquico entre professores e alunos. Assim se compreendem regras como:

- *«o aluno deve respeitar o professor» (aparece, às vezes, explicitada do seguinte modo: «respeito mútuo»), o que implica a proibição do insulto, da grosseria e da violência; «o aluno deve agir com educação»;*
- *«o aluno deve obedecer e deve cooperar»;*
- *«o aluno deve respeitar a propriedade do professor e da escola»*

Estas regras são tidas, na nossa sociedade, como mais ou menos consensuais e fazendo parte de património normativo comum; por isso, elas são raramente explicitadas e o facto de algumas vezes ser necessária essa explicitação, para melhor se regularem as interacções na aula, pode considerar-se como indício de «relações tensas», pouco adequadas às exigências do ensino-aprendizagem e que, para voltarem a uma situação de equilíbrio e de harmonia exigirão grandes transformações no sistema interaccional, ultrapassando, mesmo, os limites da sala de aula e as meras competências docentes a exercer nesse espaço.

A investigação (Vicente e colegas, 2002; Freire, 2001; Dubet e Vettenburg, 2000; Amado, 1989, 1998) revela que comportamentos a este nível adquirem expressões visíveis e observáveis muito heterogéneas, salientando-se:

- *agressões físicas a professores,*
- *ameaças e insultos,*
- *grosserias,*
- *obscenidades e atentados ao pudor*
- *réplicas à acção disciplinadora,*
- *desobediência,*
- *desvio-dano à propriedade do professor e da instituição.*

Nos estudos de observação directa este tipo de comportamentos é menos frequente que os que já tratámos nas duas partes anteriores (e classificámos de nível "um" e "dois"); contudo, nos estudos elaborados com base em registos efectuados pelos professores, como sobre participações disciplinares (Amado, 1989; Vicente e colegas, 2002), ou sobre actas de conselhos disciplinares (Vicente, 2000), estes comportamentos prevalecem em relação aos de segundo nível – o que traduz, certamente, menor atenção dos professores aos conflitos entre alunos. Verifica-se, ainda, que, na perspectiva de alunos e de professores, se trata dos comportamentos de indisciplina que apresentam maior gravidade, pelo seu carácter «desrespeitoso», «agressivo», «ofensivo», de desafio, de desdém pelas normas e exigências da escola. Contudo, raramente ultrapassam uma ordem normativa instituída de natureza escolar ou ético-social destinada a assegurar as condições de aprendizagem e a garantir a socialização dos alunos (Estrela, 1996; Amado e Estrela, 2007); no caso de se verificar essa ultrapassagem podemos estar, então, diante de fenómenos de delinquência juvenil e de verdadeiros crimes, por se tratar de actos que caem sob a alçada do Código Penal.

No conjunto destes comportamentos, os actos que se podem considerar verdadeiramente violentos (agressões, insultos e danos materiais) são apenas uma parte dos comportamentos deste nível, ao passo que as «réplicas à acção disciplinadora» e a «desobediência» surgem, pelo menos na investigação referida (Amado, 1989 e 1998), como os comportamentos mais representados, fazendo supor uma «escalada» de progressiva intensidade e de gravidade e convidando a uma maior atenção e a um aprofundamento da análise das circunstâncias, da comunicação entre os envolvidos e das estratégias de controlo e coerção usadas pelo professor em tais circunstâncias.

3.2. *OS ALUNOS QUE PÕEM EM CAUSA A RELAÇÃO COM O PROFESSOR*

Amado verificou, no seu estudo de 1998, que o número de alunos que se envolve, de modo mais persistente, neste tipo de problemas de confronto com o professor, é relativamente limitado; apenas uma "minoria" de alunos é responsável pela maior parte dos incidentes desta natureza. Segundo o autor, esta "minoria" insere-se no conjunto dos *«obrigados--revoltados»*[13], cujos projectos de vida que não passam pela escola, com marcas dolorosas de um longo historial de frustrações, e um conjunto de gostos, preferências e valores pessoais em nada de acordo com o que se lhes quer inculcar.

Baseado na reflexibilidade de tais alunos, «triangulada» com observações directas e testemunhos dos professores, o autor oferece uma resenha das principais características dos alunos com comportamentos a este nível, assinalando entre elas o desinteresse (em geral ou por certas disciplinas em particular), as dificuldades de adaptação (à escola ou a certas exigências e professores), a má formação (má educação e perturbações do

[13] Todos os alunos, até aos 15 anos, por Lei estão no ensino obrigatório, e como tal, todos eles são obrigados; contudo, segundo Amado (2001: 71 e 282 e sg.) devem distinguir-se os *obrigados-satisfeitos*, os *obrigados-resignados* e os *obrigados--revoltados*.

foro psicológico) e a influência das companhias.[14] Adiante, a propósito dos *factores individuais* desta problemática, retomaremos, sem nos repetirmos, alguns desses aspectos; aqui, transcreveremos apenas a síntese elaborada pelo autor (Amado, 1998; cf. Amado, 2005b), comparando os traços essenciais de seis "alunos-caso" por ele estudados:

> *«Estamos diante de conjunto de casos críticos que reflecte e traduz, de forma muito viva, toda uma problemática relacionada com o comportamento de indisciplina, em si mesma, mas tendo em conta, de modo muito especial, as perspectivas dos actores – do aluno em causa, da turma em que se insere (com as suas alianças e as suas clivagens), e dos professores.*
>
> *Há, de facto, grandes diferenças e grandes semelhanças entre eles. Embora todos oriundos da «classe média»[15], existem logo aí algumas diferenças, tendo em conta as profissões e a formação académica dos pais – neste último aspecto, o leque vai desde a formação superior, até à simples escolaridade obrigatória. É difícil traçar um denominador comum a todos eles, para além do comportamento indisciplinado; contudo, o insucesso escolar aproxima-se desse denominador, como experiência que «marca» cinco dos seis casos.*
>
> *Trata-se de alunos que, apesar do seu comportamento bastante perturbador e destabilizador da vida na aula não são destituídos do sentido da responsabilidade; todos reconhecem perfeitamente que são, por vezes, o motor da desordem. Para além do seu desinteresse, desmotivação, falta de vontade, e inconformismo, dão conta de todo um conjunto de outros factores para o seu comportamento indisciplinado, como a influência de outros elementos da turma (e de amigos, fora dela), o facto de haver aulas e matérias pouco atractivas, as «injustiças» de certos professores e, ainda, a falta de pulso que alguns professores revelam para gerir e «dominar» a turma.*
>
> *Os seus colegas também não os consideram destituídos de capacidades intelectuais. Contudo, as opiniões não são consensuais;*

---

[14] Em recente inquérito a 40 alunos da Escola da Trafaria (Costa e Soares, 2002: 116) verifica-se que 21 desses alunos dão como razão para os actos de violência seus e de seus colegas, a «revolta em relação à sua condição, na família e na sociedade»; ao passo que 11 considera como razão o «divertimento», apenas 4, «os problemas familiares», 2 «a instabilidade económica» e 2 «a má educação».

[15] Era este o pano de fundo social do estudo em causa (Amado, 1998; 2001: 2005b).

há os que os «admiram» por razões que variam bastante consoante o caso – desde o facto de serem «engraçados» (cumprem bem o papel de palhaços?), até ao modo irreverente como falam aos professores (porta-vozes do descontentamento). Os que rejeitam as suas atitudes, vêem neles falta de responsabilidade, de solidariedade e a causa de muitos dos problemas da turma com reflexos no comportamento e no aproveitamento geral; atribuem as causas do seu comportamento ao gosto pela exibição, ao desinteresse pelos estudos, à influência de outros colegas e, também, à falta de pulso dos professores.

Para os professores, estes alunos, apesar de nem sempre serem destituídos de capacidades intelectuais ou motoras, são, essencialmente, muito influenciáveis e incapazes de assumir as suas responsabilidades, «mal educados», com «falta de hábitos», extremamente desinteressados e, em alguns casos pelo menos, a indiciar problemas do foro médico-psiquiátrico.

Apesar do extenso rol de «participações» (que traduzem, quase sempre uma expulsão da aula) e de outros castigos ditados pelos Conselhos Disciplinares a que são sujeitos, o comportamento destes alunos pouco ou nada se altera ao longo de cada ano lectivo e mantém-se problemático ao longo de vários anos. A observação dos seus comportamentos e a atenção ao modo como cada um se vê a si mesmo e é visto pelos outros (colegas e professores) levanta uma questão fundamental, que é a de saber até que ponto os «dramas» que vivem estes alunos, e que «partilham» com os outros, não serão o resultado de uma construção colectiva cujos alicerces são a Cultura da Escola e cujos tijolos são as interacções que se processam quotidianamente no seu interior.

É muito especialmente face ao que acontece com estes alunos que a panóplia de procedimentos disciplinares, sobretudo os «correctivos» e os «punitivos», utilizados na e pela escola, podem ser postos em causa, na sua ineficácia em termos de «educação», por um lado, e por outro, em simples termos de «gestão» da aula. É importante chamar a atenção para os efeitos pessoais e interactivos que os procedimentos disciplinares produzem. A frequência e a persistência com que estes alunos são sujeitos aos procedimentos disciplinares (confiram-se as listas de participações e outros castigos, estabelecidas para cada um deles), são mais que suficientes para criar à sua volta a «auréola» e o «rótulo» de «indisciplinados»; por outro lado, é certo que eles, de facto, cometem muitas «violações» da regra e dos rituais que fazem parte da «cultura da escola», e que o «rótulo», por isso, não é uma simples arbitrariedade e ficção. Mas quantas destas transgressões não terão sido praticadas no quadro de um processo circular de interacções que leva à confirmação de rótulos e ao cumprimento «auto-realizado» das profecias elaboradas pelos professores sobre cada aluno-caso?

A questão colocada é pertinente, não no sentido de retomar aqui a polémica em torno da explicação «interaccionista do desvio», mas simplesmente para, diante da multiplicidade de factores de «desvio» que a análise destes casos invoca (sociogénicos, psicogénicos e escolares) não esquecermos aqueles que, por andarem habitualmente tão por dentro do quotidiano, raramente são tornados visíveis» (Amado, 1998: 529-531).

Note-se que estes alunos, embora em número reduzido, mantêm atitudes de pura indisciplina e de violência de um modo persistente nos vários anos consecutivos da sua carreira escolar, como pudemos confirmar. Este facto, torna-se, para certos autores (Vettenburg, 2000; Lopes, 1998), o predictor de uma carreira de desviante; como diz Vettenburg (2000: 35): «as investigações demonstram que quando os problemas comportamentais se tornam mais frequentes e se agravam entre os 12 e os 18 anos existe um risco acrescido de os ver persistir depois dos 18 anos». Um outro dado importante é o facto de se estar a verificar uma tendência recente para que os alunos implicados, neste tipo de comportamento mais graves, sejam cada vez mais jovens[16].

3.3. *OS PROFESSORES IMPLICADOS EM PROBLEMAS DA RELAÇÃO COM ALUNOS*

São, também neste caso, os professores permissivos, com fraca assertividade, aqueles que mais frequentemente criam contextos «propícios» a este tipo de comportamentos; são eles, ainda, que frequentemente acabam

---

[16] O dados sobre a criminalidade juvenil, de 1995 a 2001, apontam também nesse sentido (Barra da Costa, 2002: 21)

por sentir necessidade de reagir com um autoritarismo que o aluno não compreende nem aceita; mostram, portanto, grandes dificuldades no lidar – prevenir e remediar – com os problemas de indisciplina nas suas aulas.

É evidente que não pode ser só a permissividade e a falta de assertividade, por parte do professor, a explicar os seus comportamentos e o envolvimento frequente em problemas com os alunos mais difíceis: há, também, a intolerância (fruto, por vezes, do desgaste e de frustrações), as expectativas negativas (que, quase sempre se manifestam de forma descaradamente injuriosa), há a falta de bom senso, atitudes persecutórias, racismo, *stress* (a que não é alheia a sua vivência traumática da profissão) e, por vezes, problemas de personalidade. Muitos dos aspectos caracterizadores do professor, na sua personalidade e na sua forma de pensar, já referidos na primeira parte, adquirem aqui a sua máxima expressão e significado; e qualquer investigação realizada de modo a captar as representações, perspectivas e atitudes destes professores, pode registar um conjunto de incidentes e de testemunhos nada abonatórios da sua competência pedagógica, muito especialmente na dimensão relacional, e que forçosamente nos surpreendem.

De seguida, resumiremos a caracterização dos professores com mais problemas disciplinares no estudo efectuado por Amado (1998); esta caracterização foi feita com recurso à perspectiva dos alunos, completada pela observação directa do autor; segundo o mesmo, uma tal «caracterização tem sentido, na medida em que, além de realçar os traços de personalidade e os estilos de acção mais significativos para o aluno (e que fazem parte do contexto das interacções), permite compreender, também, como é que este interpreta a própria acção do professor e age, depois, de acordo com essa interpretação». É este elemento subjectivo, mas central na interacção, que faz com que, apesar de grandes similitudes nos aspectos contextuais (sala, materiais, etc.) e demográficos (os mesmos alunos) das diversas aulas a uma turma, baste a simples presença de um professor diferente para que floresçam microculturas dissemelhantes de uma disciplina para outra (Erickson, 1989: 218).

Foi, portanto, partido destes pressupostos que o autor procedeu à comparação das práticas de professoras de duas turmas diferentes (que designaremos por 8.°E e 8.°R) em cujas aulas se registaram muitos problemas disciplinares da relação professor-aluno e da relação entre pares.

O quadro 3.1. permite a comparação necessária, em termos qualitativos entre duas professoras estagiárias da turma do 8.°E: o modo como os alunos caracterizam o seu próprio comportamento nas aulas destas professoras é carregado de significado e suficientemente ilustrativo para não necessitar de mais elucidações. No que respeita à "atitude geral" parece que, no início do ano, as posições destas duas professoras seriam opostas; "B" teria dado uma impressão de pessoa "*dialogável*" fazendo supor até, que seria uma daquelas que iria estabelecer uma boa relação e obter a confiança dos alunos. Enquanto "A" partiu de uma posição "*altiva*", provavelmente pouco simpática, impondo algumas regras que não foram explicitadas pelos alunos, mas de nula eficácia, logo de princípio[17].

Na continuidade da relação, a atitude de ambas as professoras aproxima-se no que respeita a uma certa perda do controlo e a tomadas de posição incoerentes (o que faz dizer ao aluno que "B" parece que se sente sempre vigiada por "*alguém a olhar*" e que "A" é "*esquisita*", porque, ora castiga o que não devia castigar, ora deixa passar despercebido o que não devia perdoar). Há também uma tentativa comum de controlar a turma pela *sedução*. Diz-se, com efeito, de "B" que ela se mostra amiga, com frequência, de modo a que o comportamento deles mude; diz-se a propósito, que ela "*errou desde o princípio do ano*", agindo desse modo; essa foi também a atitude da professora de "A" que, segundo um aluno, "*estragou tudo*". É na "acção disciplinadora " que as semelhanças, contudo, são maiores:

> *«Pelo que fica exposto, pelo que observei ao longo do ano lectivo e pelos documentos que me foi possível analisar, pelo que exporei, ainda, acerca dos alunos-caso desta turma, estamos diante das duas professoras que mais recurso fizeram à "Participação Disciplinar". Apesar disso, diz-se de ambas, que não sabem ou não conseguem impor o respeito. Ambas perdoam ou toleram em elevado grau a indisciplina dos alunos. Reagindo à acção disciplinadora, os alunos conseguem convencer, frequentemente, a professora de "A" que, a final "não fizeram nada" que mereça a sua reprovação». Este aspecto liga-se também à incoerência, comum às duas estagiárias, e que se materializa no facto de usarem frequentes ameaças que só raramente cumprem: "as ameaças que fazem, elas deviam cumprir mesmo".*

[17] Recordem-se as estratégias de apresentação dos professores referidas na 1.ª parte e em Amado (2000b e 2001).

QUADRO 3.1 – *Traços gerais do comportamento de 2 professoras estagiárias com problemas disciplinares*

Prof.	Comportamento dos Alunos	Gestão da Aula	Atitude Geral		Acção Disciplinadora
			1.° Encontro	*Ao Longo do Ano*	
A	"Ninguém lhe liga (...) Nós fazemos o que queremos"	«Aula monótona (...) Eu acho que a Setora não consegue cativar a nossa atenção. (...) no ano passado nós aprendemos mais do que em dois anos aprenderíamos com esta Professora.	«É muito altiva e julga-se a maior». «Impôs algumas regras Grande indisciplina nas aulas seguintes».	«Uma pessoa que é muito esquisita. [coisas graves ela não faz nada e coisas que... «Uma coisa má que a Setora fez foi ter dito que gostava da gente e eu acho que isso estragou tudo. Ela uma vez disse: "Ai não sei quê, só não faço mal porque gosto de vocês."	«Não consegue impor respeito aos alunos» «Quase sempre se consegue convencer a professora de que não se fez nada». «Ela tolera tudo o que nós fazemos, não põe ordem na aula. «Ela em vez de nos mandar calar, ela espera que nós nos calemos, não diz nada, ela espera e isso interrompe muito a aula
B	"Uma feira autêntica" *"Turma globalmente indisciplinada"* *«Quando a prof.ª vai a atender a alguma solicitação particular gera-se "um pandemónio".*	«Esforça-se por motivar «Nunca resulta nenhuma experiência, parte o material todo. «Quase ninguém está interessado nas aulas dela. Eu acho que as Setoras [A e B] não conseguem cativar a nossa atenção.	«Estagiária mas boa com os alunos" «Dialogável" «Grande indisciplina nas aulas seguintes «Deixou fazer o que queríamos... depois nunca mais...	"Exalta-se" "É nervosa" "Parece que está ali sempre alguém a olhar" «Mostra-se amiga, com frequência, para que o comportamento mude. «Ela errou desde o princípio do ano.	«Fez ... participações «Ameaça mas não cumpre «Até nos perdoa muitas vezes. «Não sabe impor o respeito. «Desistiu, que agora não marca faltas (...) deixa fazer o que eles querem. «Vinga-se connosco nos teste

(A – Humanísticas; B – Científicas – Em itálico, testemunho dos próprios professores para facilitar o cruzamento de dados – A partir de Amado, 1998)

Há, ainda, uma grande semelhança na atitude permissiva de ambas, embora se concretize de modos diferenciados. A professora de "A" "*em vez de mandar calar, espera que nos calemos*", o que acaba por não resultar e " *interrompe muito a aula*"; a professora de "B", a determinada altura do ano, como é dito, "*desistiu*" e "*agora não marca faltas*", deixando "*fazer tudo o que eles querem*". Trata-se da observação de uma aluna, perfeitamente confirmada neste registo do Conselho Disciplinar:

> «*A Professora de* "B" *disse, então, que já não faz mais participações mas que tem muitos motivos para os fazer. Diz: "Já não sei o que é uma aula normal com esta turma. Eu quero dar matéria e eles não deixam dar. Ponho exercícios e digo que resolvam. Dizem que não sabem resolver e eu digo que estudem. Enquanto tiro algumas dúvidas o resto da turma comporta-se num pandemónio. Entrei, diz ainda, numa fase de desistência*».

Exceptuando, portanto, a atitude inicial de apresentação, verifica-se uma semelhança grande de atitudes e de estratégias que poderão explicar uma igual vivência do ambiente geral da aula e do *stress*.

Vejamos agora (Quadro 3.2) o que se passa com outras duas professoras com diversos anos de experiência (9 e 13 anos) mas, igualmente, de nível elevado de indisciplina, na turma do 8.°R (constituída só por alunos repetentes).

QUADRO. 3.2. – *Traços gerais do comportamento de 2 professoras com diversos anos de experiência*

Prof.	Comportamento dos Alunos	Gestão da Aula	Atitude Geral		Acção Disciplinadora
			1.º Encontro	*Ao Longo do Ano*	
L	– «São todas... mas a mais perturbada é a de...» – «É uma barulheira» «galhofa, brincadeira...» – «Gozam com ela» – «Um pandemónio» ...	«Ensina bem, explica a matéria». «compreende bem, ajuda, sempre a acompanhar...» – «apesar dela não conseguir manter o controle à turma eu acho que ela é boa, tem os seus métodos, nós é que não deixamos a setora aplicar os métodos dela.	«Ela no princípio deixou-nos abusar e ela agora não pode fazer nada com eles.. «A setora até é simpática, mas no princípio do ano deu um bocado mais de confiança e agora uma pessoa abusa da confiança».	«Professora mole» «Não põe ordem nem nada...». «Setora deixa abusar de mais. «Professora mole»	Ela é raro mandar para a rua, ela quase nunca manda... Eu acho que ela devia começar a repreendê-los e a mandar para a rua...».
K	«A aula de (K) é também a mesma coisa que a de (L), assim de galhofa, brincadeira...	«Está sempre a insistir... a explicar». «Ela não explica. É capaz de andar a passear e nós chamamos três, quatro ou cinco vezes e ela não ouvir».	«A Setora dá muito à vontade aos alunos, foi o que a setora fez. Nós mudávamos de lugar todas as aulas, sempre na brincadeira, sempre a mandar piadas, a fazer barulho e a setora pouco ou nada dizia».	«Pronto, a gente fala um para o outro, manda umas bocas e a setora não diz nada, põe-se a rir até e a gente começá-mos a ganhar confiança e a partir daí é difícil...» «Um bocado arrogante».	«E a setora de (K) de vez em quando ameaça mas não manda para a rua. Devia mandar logo....».

(L- Humanística; K- Científica dados – A partir de Amado, 1998)

A percepção que os alunos têm do modo como se comportam nas aulas destas duas professoras é semelhante ao que vimos a propósito das duas anteriores: «*um pandemónio*», «*galhofa*», etc. No início do ano a atitude de ambas foi demasiado tolerante e de falta de assertividade: «*deixou abusar*», «*dá muito à vontade*» —- atitude comum a uma das professoras da tabela anterior.

Na continuidade da relação, a atitude de ambas as professoras também é coincidente com as duas do 8.°E; verifica-se igualmente uma clara perda do controlo e da coerência dos actos (o que faz com que uma delas tanto *ria* por cumplicidade com os alunos, como pareça «*arrogante*»).

As semelhanças tornam-se ainda maiores na «acção disciplinadora». Tal como no quadro anterior estamos diante das duas professoras que mais recurso fizeram à "Participação Disciplinar"; apesar disso, também se diz-se de ambas, que não sabem ou não conseguem impor o respeito, que perdoam ou toleram, em elevado grau, a indisciplina dos alunos.

Ao confrontarmos estas «representações» dos alunos com as dos professores verificamos uma grande coincidência no estabelecimento da relação entre os comportamentos da turma e as atitudes gerais da docente, especialmente no início do ano. Em entrevista à professora de "K", realizada num dos primeiros dias de aulas, a mesma exprime a opinião de que, tendo em conta as características da turma, «*não se pode ser duro demais...*» e que tem de ser «*terno*»:

> *Professora:... não se pode ser duro demais. Estamos numa fase de estudo, quer os alunos quer eu... Eu tou a ver... também nunca tive uma turma assim... às vezes se actuarmos muito rigidamente com determinados alunos fazemos com que eles fiquem aborrecidos... com o professor, não gostem dele ... e depois até arranjam pretextos, não gostam da disciplina (...)*
>
> *Ent: Eles exigem autoridade da parte dos professores...*
>
> *Prof.ª: Mas também tem que se ser terno...*
>
> *Ent: Ser amigo...*
>
> *Prof.ª: Sim. Mas exigir... Vamos ver se funciona... (ri). Tem de se ser duro quando se deve, mas também tem de se ser tolerante quando se deve*

Um pouco mais tarde, depois de se terem verificado bastantes problemas na turma, ouvimos a mesma professora responder ainda a uma aluna que a aconselhava a ser mais dura, nos seguintes termos: «... *nós não queremos prejudicar ninguém*».... No final do ano, interrogada por nós (Amado, 1998) sobre o conselho que daria ao colega que a substituir no ano seguinte, afirma:

> «... *o conselho é que tinha de ser,* ***logo desde o início tinha de ser bastante rígida com eles****. Portanto, normas a cumprir e não abrir excepções.*
> *Ent: E a ternura? tinha que ser terno ainda ou já não?*
> *Prof.ª: Acho que não. Se fossem do 7.° ano ainda acredito que os miúdos se deixam influenciar. Estes já não, isso já não leva. Porque tudo o que seja ternura eles vêem mais como uma fraqueza do Professor, por isso abusam. Por isso acho que já não pode ser...*».

Tendo em conta as características gerais (alguma falta de firmeza no início do ano, tentativas de «sedução», demasiada tolerância e falta de assertividade), justifica-se que ponhamos a hipótese de que a existência de tais características constitui factor importante para explicar um comum e «elevado» grau de indisciplina.

3.4. *OS FACTORES DE RISCO DA PROBLEMÁTICA RELACIONAL*

Este é o nível de indisciplina na escola e na aula onde melhor se compreende a combinação, em diferentes graus, «de um conjunto de circunstâncias pessoais, relacionais ou sociais que tornam a criança vulnerável e facilitam o aparecimento de diversas dificuldades de adaptação» (Dumas, 2000: 95). Nos estudos mais aproximados de alunos-caso, em especial os longitudinais, é possível encontrar histórias de vida marcadas pela combinação destes factores de risco, ainda que em proporções diversificadas. Casos há que nos levam a supor o peso relativamente grande de factores de ordem individual (atrasos no desenvolvimento moral, auto-conceito negativo e baixa autoestima, desinteresse, projectos de vida em que a escolarização assume pouco valor e, muito especialmente, o próprio insucesso escolar); noutros casos serão mais determinantes os factores familiares (disfuncionamento familiar, relacionamento inadequado, etc.) ou os factores de ordem social e cultural. Mas estes factores, dado que se reflectem no quotidiano da vida escolar, encadeiam-se facilmente com os de ordem pedagógica, muito especialmente com os da «*relação pedagógica problemática*», não tanto por levarem à frustração das expectativas de qualquer aluno, mas por serem interpretadas no contexto das interacções, como afrontosos e ameaçadores.

Neste capítulo faremos um rápido percurso por alguns destes factores de risco, tendo sempre em conta que qualquer caso particular tanto pode encontrar num destes factores uma causa suficiente para a explicação dos comportamentos, como, pelo contrário, pode necessitar de uma combinação de vários; como afirma Dumas (2000), sabe-se que quanto maior for o número de factores de risco associados, maior é a probabilidade de as crianças e dos jovens desencadearem actos desviantes, mormente actos violentos.

A – Factores individuais

Entre os factores individuais salientamos apenas os que decorrem da experiência de interacções traumatizantes na história de vida do aluno e fortemente determinantes do seu desinteresse. A questão do desinteresse do aluno merece reflexão. As suas consequências são enormes e variadas, com expressão ao nível da interacção na aula (Perrenoud, 1993); vários autores (Vettenburg, 2000b; Blanco, 1994; Robinson, 1978), chamam a atenção para a circularidade do problema: o desinteresse do aluno gera facilmente o desinteresse do professor pelo próprio aluno (o que se traduz na rotina, no imobilismo, no ensino memorialístico). Nos planos familiar e social as consequências também são várias, sendo de salientar, muito especialmente, o risco de abandono escolar (Benavente *et al*., 1994). Entre os traços mais salientes dos alunos desinteressados (e em risco de abandono), a investigação (Mata, 2000, Almeida e Santos, 1990) aponta um auto-conceito negativo, a experiência traumática do insucesso escolar e um projecto de vida em que a escolarização parece ter pouco significado; trata-se de características (que também podem ser lidas como factores do próprio desinteresse) que relevam mais de experiências traumáticas de vida do que de qualquer tipo de problema de ordem biológica ou psicológica – embora estes problemas não sejam de excluir em certos casos. Vejamos, pois, o que diz a investigação sobre algumas destas características.

O auto-conceito – São múltiplas as definições e especificações de auto-conceito que se podem encontrar na vasta literatura sobre o tema (Machargo Salvador, 1991; Veiga, 1995), mas o seu denominador comum é o de que se trata de «um conjunto de percepções ou referências que um indivíduo tem de si mesmo (...). É o conjunto de características, atributos, qualidades e deficiências, capacidades e limites, valores e relações que o sujeito reconhece como descritivos de si e que percebe como dados da sua identidade» (Machargo Salvador, 1991: 24). Existem, portanto, e como decorre da definição dada, duas dimensões distintas: uma relativa às crenças e percepções sobre si (*identidade*) e outra que diz respeito ao modo como o indivíduo se avalia a si mesmo *(autoestima)* – dimensões cujo modo de se relacionar não é unanimemente entendido entre os diversos autores (Veiga, 1995). A origem do auto-conceito está nas relações e interacções do sujeito com o seu meio (em especial com outros significativos, pais, professores, colegas), ao longo de toda uma vida. Por isso, ele é uma *realidade dinâmica* (Machargo Salvador, 1991) com um desenvolvimento próprio (varia com a idade e com os contextos de vida); mas é também uma realidade *global* onde se organizam hierarquicamente as informações que o indivíduo vai colhendo de si, dando-lhes um sentido (Faria *et al.*, 1990), ao mesmo tempo que é *específica e multifacetada* (neste caso, diz respeito apenas a certos aspectos da relação sujeito-mundo, como à aparência física, à integração social (Veiga, 1995), ou ao rendimento académico (Shavelson et al., 1982).

O estudo desta variável psicológica tem estabelecido a sua forte relação com estilo comportamental do indivíduo (Veiga, 1995) e com outras variáveis psicológicas, tal como a ansiedade, o *locus* de controlo, as expectativas e o rendimento escolar (Simões e Vaz Serra, 1987; Pollard, 1989). Verifica-se uma forte correlação entre as dificuldades de aprendizagem e um auto-conceito negativo (Faria *et al.* 1990, Veiga, 1995; Lourenço, A., Paiva, M.ª O., 2004), e esta correlação aumenta nos alunos mais velhos, talvez porque vão acumulando dificuldades ao longo dos anos – dificuldades que passam, muitas vezes, por dolorosas experiências de *interacção* em que o aluno (criança-adolescente) tem de encontrar estratégias para sobreviver rotulado de «estúpido», «preguiçoso», «desinteressado», «desajeitado».

A atenção aos seus comentários revela que eles são levados a interpretar «as acções dos outros através de um filtro desagradável (por exemplo, "o *professor vai chamar-me ao quadro para mostrar aos outros que eu não sei nada*"), manifestam expectativas negativas ("*já sei que vou errar os problemas*"), desenvolvem com frequência a ideia de que são incapazes de aprender e tendem a agir de acordo com essa auto-imagem negativa (...). As tarefas escolares são abordadas, sem confiança, com relutância, desprazer ou mesmo insatisfação» (Simões e Vaz Serra, 1987). Distorcendo a informação social que se gera à sua volta, sentem-se facilmente injustiçados e perseguidos, e encontram indícios de expectativas negativas dos outros sobre si, sem que as mesmas se produzam efectivamente. Vendo-se de forma negativa, através dos olhos dos outros (professores e colegas), elaboram crenças infundadas acerca de si mesmos, evitam os desafios que a escola lhes propõe, inibem-se perante os esforços solicitados e tentam afirmar-se com comportamentos agressivos e de oposição (Schmuck e Schmuck, 1992). Na síntese de Rijo *et al.* (s/d, 9-10), os esquemas constitutivos do auto-conceito dos indivíduos com as dificuldades que temos vindo a apontar «centram-se em conteúdos tais como: a desconfiança e o abuso, o defeito/inferioridade, o fracasso, a indesejabilidade/exclusão social, o abandono e a privação emocional, a grandiosidade e o auto-controlo insuficiente».

Como disse alguém, "*talvez a causa mais importante do êxito ou do fracasso na educação de uma pessoa, tenha que ver com a opinião que de si mesma possui essa pessoa*"; se isto é verdade, fica bem acentua a responsabilidade relacional de todos os educadores. Ter em conta a promoção do auto-conceito positivo do aluno é condição indispensável para qualquer actividade educativa. Ter em conta a promoção do auto-conceito positivo do aluno é condição indispensável para qualquer actividade educativa. Ao professor compete: interpretar a imagem que cada aluno faz de si mesmo; dar a conhecer como se é percebido e avaliado; ajudar a reconhecer o valor e as possibilidades de cada um; aproveitar todas as oportunidades para reforçar um auto-conceito positivo, especialmente através da criação de um clima de grupo que inspire confiança e cooperação e não infunda temor, que dê oportunidades ao aluno de decidir, em colaboração com os outros, os seus objectivos, que dê oportunidades de experimentar, promovendo uma aprendizagem autónoma, que tenha em conta a "função pedagógica do erro".

O insucesso escolar – A investigação não permite ter dúvidas acerca das consequências extremamente negativas, no plano pessoal (para não falarmos de outros), das retenções e do insucesso escolar[18]; em primeiro lugar saliente-se a associação recíproca entre o auto-conceito, a autoestima e o fenómeno do insucesso escolar (Jesus Cava e Musitu, 2000); note-se, ainda, que a associação entre insucesso e comportamento desviante é indiscutível (Veiga, 1995; Amado, 1989, 1998; Lopes, 1998; Fonseca et al., 2000; Taborda Simões, et al. 2000; Freire, 2001). Como observou Knight «o insucesso escolar é semelhante a um processo de «locking out» que gera frustrações e encontros dolorosos na vida diária, contribuindo, ultimamente, para um sentimento de impotência sentido por aqueles que caem no papel de estudantes sem sucesso» (*apud* Polk, 1988: 114). Também Avanzini (s/d: 15), no seu estudo sobre o insucesso escolar, nos alerta para as múltiplas ressonâncias do insucesso escolar na personalidade do aluno. Diz ele: "longe de constituir apenas um incidente lateral mais ou menos à margem da vida da criança, marca-lhe em profundidade a personalidade, mesmo que o aluno pareça indiferente". Segundo Coventry (1988: 92), o insucesso escolar, é um processo que logo nos primeiros anos de escolaridade «age como catalizador da alienação estrutural e psicológica do jovem» marcando-o, por isso, no seu auto-conceito e nas suas aspirações.

Vários estudos realizados em Portugal, e confirmando muita investigação internacional, mostram esta forte ligação entre o comportamento disciplinar, as aprendizagens e o aproveitamento escolar. Amado (1989) verifica que a grande maioria das 774 participações por ele analisadas e registadas ao longo de 5 anos numa escoa Secundária (entre 1981-85) se referem a comportamentos de alunos com repetências no seu percurso escolar. Isabel Freire (2001) verifica que "o grupo dos alunos qualificados de disciplinados pelos seus directores de turma[19] (no 7.° ano) apresentam uma progressão nas aprendizagens (em Língua Portuguesa e Matemática)

---

[18] Não deixam de haver também chamadas de atenção e alertas para os efeitos negativos da chamada «promoção social» que consiste em promover alunos em anos sucessivos sem as respectivas aquisições académicas; os efeitos negativos fazem-se sentir no acesso ao ensino superior e na obtenção e promoção nos empregos. Este também é um problema da escola (Mata, 2000).

[19] Esta variável revelou-se uma variável fortemente predictiva do comportamento dos alunos observado directamente.

significativamente superior à dos considerados indisciplinados. Aqueles que apresentam menor progressão nas aprendizagens são os alunos cujo comportamento é instável (varia conforme a turma e o professor). Todavia, observa-se uma forte associação entre a atribuição do estatuto de aluno com comportamento indisciplinado e a falta de aproveitamento (não transição de ano de escolaridade) que não é tão evidente relativamente às aprendizagens." (p.534) De uma amostra de 53 alunos seguida ao longo de dois anos, 12 dos 13 alunos que foram classificados de indisciplinados logo no 7.° ano apresentaram repetências. Estes dados remetem-nos, no entanto, para a necessidade de reflectir sobre uma outra variável intermédia que estará certamente associada a esta problemática do comportamento disciplinar e do insucesso escolar: *as expectativas dos professores*. A sua compreensão exige mais investigação a partir de estudos de caso, não apenas neste ciclo de estudos, como noutros e, até porventura, com maior incidência nos dois primeiros ciclos, onde se joga o futuro escolar e o projecto de vida de muitas crianças. O insucesso escolar, a desmotivação face à escola parecem estar associados à indisciplina de modo particular no final dos ciclos de estudos. Ao contrário, no início dos ciclos de estudos muitos dos alunos que são vistos como indisciplinados trazem uma forte motivação relativamente à escola em geral e às aprendizagens em particular.

Vaz da Silva (1998) no seu estudo de uma turma de alunos «difíceis», todos eles com retenções no seu percurso escolar, conclui, de acordo com outros estudos (Amado, 1998) que, apesar dessas características, há indicadores de que estes alunos têm interesse no sucesso embora acompanhado de um outro muito vincado, o interesse por brincar: «as brincadeiras são um aspecto muito importante dos interesses dos alunos porque constituem um antídoto para o aborrecimento e a monotonia que tem no riso e nas cumplicidades a sua principal expressão». Também, segundo Lopes (1998), «o fenómeno da indisciplina passa fundamentalmente pelos alunos "não perturbados" cujo rendimento académico não permite a identificação aos objectivos curriculares», o que, ainda segundo o mesmo autor, torna premente a necessidade de desenvolver alternativas curriculares «credíveis para os alunos que associam problemas de aprendizagem a problemas de comportamento». Em estudo de "natureza epidemiológica e longitudinal" de Fonseca e colaboradores (2000) concluiu-se que «os repetentes de ambos os sexos apresentam índices mais elevados de comportamento anti-social do que os rapazes e as raparigas do grupo dos não repetentes». Os mesmos autores invocam diversas explicações, como a teoria da vinculação social (o enfraquecimento do vínculo à escola é reforçado por uma maior ligação aos pares desviantes) e reforço da auto-estima junto de pares com características escolares similares, etc.

Portanto, ainda que não se possa estabelecer uma relação directa e determinística entre insucesso escolar e comportamento desviante, admite-se que ele seja um importante factor de risco quer para a indisciplina quer para comportamentos de maior gravidade como a delinquência; Hawkins, ao passar em revista a bibliografia sobre a questão conclui: "a evidência sugere que os estudantes com insucesso estão em maior risco face ao mau comportamento na escola e, últimamente, face ao envolvimento em comportamentos delinquentes" (Hawkins et al., 1988). Na mesma ordem de conclusões, Fonseca e colaboradores (2000) chamam a atenção para o facto destes dados apontarem «para a necessidade de se defender um investimento cada vez maior na promoção do sucesso escolar, mesmo antes de a criança iniciar a escolaridade obrigatória»; e é evidente que outras medidas, para além da intervenção precoce, e desde há muito reconhecidas e propostas, se revelam necessárias, como a flexibilidade curricular, a educação multicultural, e experiência do professor tutor, etc.

O projecto de vida – Outro factor importante, fortemente associado aos problemas do auto-conceito e do (in)sucesso escolar é o do *projecto de vida*; os alunos mais problemáticos caracterizam-se por um projecto de vida alheio às propostas e exigências da escola; «é assim que, para muitos, em especial os que já acarretam algumas repetições e grandes frustrações no seu percurso escolar, aqueles para quem a prossecução dos estudos não faz parte do seu projecto, o trabalho escolar também não faz sentido» (Amado, 2001: 289). Tendo em conta que na cultura ocidental o sucesso escolar é visto pelos bons alunos e pelos professores, como condição necessária para um futuro profissional com elevado estatuto, Polk (1988: 114) explica deste modo a relação entre estes factores: «os alunos com sucesso assimilam a noção de que o sucesso não é uma coisa alcançada uma vez por todas e para sempre, mas que é como um conjunto de barreiras, algumas das quais devem ser ultrapassadas imediatamente, algumas estão em vias de ser ultrapassadas a curto prazo durante o curso, outras não estão sequer ainda em vista, talvez nem previstas, mas presume-se que hão-de ser ultrapassadas no futuro». Ora essas perspectivas de futuro e atitude positiva face às normais dificuldades do dia-a-dia escolar não se verificam nos jovens com insucesso; a ausência dessas perspectivas associa-se facilmente a dificuldades de integração e a problemas de comportamento dos alunos; a constatação empírica desse facto leva Pinto e Taveira (2002) a salientarem o importante papel da «educação vocacional como forma de prevenção e combate à indisciplina, ao absentismo e ao abandono escolar, designadamente através da valorização social das tarefas de estudo, das suas relações com actividades da vida quotidiana e o mundo do trabalho, do encorajamento e apoio à construção de projectos, da responsabilização pela sua implementação, do treino de competências de trabalho individual e de grupo». Note-se, porém, que os projectos de vida alheios à escolarização não se relacionam exclusivamente com o insucesso escolar; associam-se, também, a outros factores de risco, muito especialmente à influência do contexto e experiências de vida familiar e social (Amado *et al.* 2003).

Distúrbios de comportamento e hiperactividade – A investigação não exclui o problema da indisciplina como uma das manifestações do síndroma da hiperactividade ou, mesmo, de outros problemas psicopatológicos, mal ou nunca diagnosticados, como a própria *depressão* hoje cada vez mais generalizada em crianças e jovens (e fortemente associada aos factores anteriormente referidos – cf. Marujo, 1992).

A questão da *hiperactividade* (de etiologia, igualmente variável) é um tema já clássico em psicopatologia da infância e da adolescência. Ao nível da sala de aula, a presença de elementos hiperactivos constitui-se como um forte desafio ao professor, como nos é dito neste testemunho de uma professora em entrevista (31 anos de serviço docente): «*a sua presença cria dificuldades em gerir as actividades porque sendo elas tão instáveis, tenho de os ter ocupados*»; esta necessidade de ocupação obriga-a a planear actividades «de recurso» (no caso, fê-lo em conjunto com os próprios alunos, elaborando um cartaz onde se explicitava o que poderiam fazer quando estivessem livres).

A *hiperactividade* é um problema que se manifesta de formas diversas como a «reacção indiscriminada a todos os estímulos (exteriores ou interiores)», «desassossego contínuo» e «actividade em excesso», ou, pelo contrário «fixação em algo de que é difícil remover a criança, em ordem a outras tarefas», «impulsividade, agressividade, excitabilidade e labilidade emocional». Segundo a investigação, existe todo um conjunto de outros comportamentos associados à hiperactividade, pelo menos em crianças de idade escolar, que alguns autores consideram como fazendo parte desta, e que outros configuram num síndroma diferente, o *síndroma dos distúrbios do comportamento*. São eles: a desobediência, a ausência de autocontrolo e de tolerância à frustração, a baixa auto-estima e problemas de comportamento social, como a própria indisciplina.

Há que saber, no entanto, distinguir quando a indisciplina tem essa raiz verdadeiramente patológica (um fenómeno, ao que parece, raro, pelo menos a partir do segundo ciclo, porque os caso foram já despistados anteriormente), de outros tipos de indisciplina cuja razão de ser pode estar e está, na maioria dos casos, longe destas determinantes (Rebelo, 1986). Caso não se proceda a esta distinção surge o perigo de uma perspectivação única, exclusivamente individualista e biológica do problema, o que, além de criar ficticiamente mais uma espécie de nova e trágica epidemia, como diria João Lopes (cf. Lopes, 1998), pode, no domínio das intervenções, cair nos extremos, como a de limitar-se a uma acção de carácter farmacológico (prática, aliás, desde há muito denunciada, mesmo nos Estados Unidos), quando o recomendável seria uma psicoterapêutica[20]; ou ficar-se por esta, quando o aconselhável seria actuar, sobretudo, no domínio do ambiente e das interacções escolares, eliminando os factores escolares. Como disse Albano Estrela (1999), «tendemos a esquecer que, se os fenómenos pedagógicos dependem de características biopsicossociais dos sujeitos que os originam, estas dependem, por sua vez, de fenómenos educacionais, pois não conhecemos homens, nem sociedades, dissociados das formas e instituições educativas que estão na base da sua formação e do seu desenvolvimento».

Dificuldades de aprendizagem – esta expressão genérica, segundo o *National Joint Committee for Learning Disabilities* (NJCLD) «diz respeito a um grupo heterogéneo de desordens manifestadas por significativas dificuldades na aprendizagem e no uso das aptidões de escuta, de expressão oral, de leitura e escrita, raciocínio ou matemática. Estas perturbações são intrínsecas ao indivíduo, supondo-se que sejam devidas a uma disfunção do sistema nervoso central, e podem ocorrer e manifestar-se durante toda a vida. Problemas na auto-regulação dos comportamentos,

[20] Em Portugal, entre seis e oito mil crianças e jovens tomam diariamente um estimulante para minimizar os efeitos da perturbação da hiperactividade com défice de atenção (PHDA). (Diário de Notícias, 17 /08 /2006).

na atenção, na percepção e na interacção social podem coexistir com as dificuldades de aprendizagem. Mesmo que uma dificuldade de aprendizagem possa verificar-se, concomitantemente com outras condições de deficiência (por exemplo, privação sensorial, deficiências mental, perturbação emocional grave) ou com influências extrínsecas (por exemplo, diferenças culturais, ensino inadequado ou insuficiente), não é devida a tais condições ou influências» (Cf. Correia, 1991: 55; Raposo, Bidarra e Festas, 1998: 25).

Trata-se, pois, de crianças com efectivas perturbações estruturais (por vezes com raízes orgânicas) e não simplesmente com dificuldades de adaptação à escola, às exigências escolares ou ao professor. Contudo, estas dificuldades de aprendizagem correspondem, frequentemente, a graves dificuldades do ensino (Fonseca, 1999), por falta de condições adequadas, por falta de formação de professores para lidarem adequadamente com as suas necessidades (Caldeira, 2007), e por muitos outros motivos, tornando-se absolutamente indispensável, até pelo direito que assiste a estes alunos (enquanto cidadãos), criar condições na Escola que lhes garantam a tanto oportunidade de ser iguais como a igualdade de oportunidades.

— X —

Tendo em conta todos estes factores individuais, pode afirmar-se que, através da indisciplina, o aluno procura «mitigar o desinteresse e remediar as ameaças à auto-estima», invertendo os valores que lhe são propostos pela escola. A alternativa está, frequentemente, na expressão de valores conotados com uma "maturidade precoce", através de comportamentos agressivos, violentos e outros como fumar, consumir álcool e outras drogas, libertinagem sexual, etc. Esta alternativa passa, geralmente, como o salientam muitos autores (Vettenburg, 2000, Robinson e Tayler, 1986; Rutter, 1989, Coventry, 1988) pela formação e integração de «grupos de pares que são indiferentes ao insucesso escolar – indiferentes, porque não vêem oportunidade para a sua realização e por isso necessitam de orientar os seus objectivos noutra direcção».

Noutro texto chamámos a atenção para a necessidade de ter em conta e reforçar a importância do que consideramos ser a *dimensão clínica da competência* docente. «É esta dimensão que lhe permitirá captar e compreender *como* os seus alunos são diferentes entre si, e *quanto* isso representa (como desafio e como potencialidade de acção) na construção de uma relação saudável e profícua. Há que dizer que a atenção prestada pela investigação aos professores que revelam esta dimensão clínica da competência docente, mostra como tal dimensão é responsável, nesses mesmos professores, por uma preocupação «humanista» na gestão da aula, por uma abertura às esperanças, ambições e crenças dos alunos, mas também, por uma capacidade que lhe permita ser agentes estimuladores, em cada um e em todos eles, de novas esperanças, de mais ambições e de crenças mais eficazes (inclusive, as crenças nas suas próprias capacidades» (Amado, 2005c).

B – Factores familiares

O comportamento perturbado dos alunos pode ser sintoma de problemas relacionados com a dinâmica afectiva no seio do agregado familiar e de desarticulação entre os objectivos, valores e práticas dos dois subsistemas, escola e família.

Atmosfera familiar e estilo parental – Diversos estudos, desde há muito, têm concluído que uma atmosfera negativa na família, conflitos entre os seus membros, interacções confusas, atribuições interpessoais negativas, maus-tratos, estilos de autoridade e de comunicação desajustados, psicopatologias (mesmo, também, reduzido auto-conceito dos pais, falta de auto-estima, depressão), alcoolismo e toxicodependências, etc., constituem factores fortemente associados ao insucesso escolar dos filhos e aos seus comportamentos anti-sociais na escola; a estes factores devem acrescentar-se os diversos tipos possíveis de ausência, de que se salientam divórcios e famílias monoparentais (Dumas, 2000; Veiga, 1988; Onatsu-Arvilommi e Nurmi, 1997; Machado, 1996; Gustafson, 1994). No estudo de Freire (1990) verifica-se, por exemplo, que a proporção de alunos do 9.° ano considerados indisciplinados que viviam em famílias monoparentais era significativamente maior que no caso dos alunos considerados disciplinados, sendo tal diferença mais evidente por parte dos alunos do género feminino que viviam só com a mãe (p. 209). No entanto, o mesmo estudo revela que, nos alunos do sétimo, não foi observado qualquer ligação significativa entre a estrutura familiar dos alunos e o seu comportamento disciplinar, o que, mais uma vez, indicia a importância de outros factores relacionais e não só, e reforça a posição já anteriormente assumida de que estamos apenas perante factores de risco.

Acrescentamos mais uma nota sobre um destes aspectos, o *estilo de autoridade* dos pais, pela semelhança que apresenta com o que dissemos na primeira parte sobre o estilo de gestão dos poderes do professor na aula. Diversos estudos sobre esta variável (Steinberg *et al.*, 2006; Musitu Ochoa *et al.*, 2006; Musitu Ochoa, 2005; Moffitt & Caspi, 2002; Fonseca, 2002; Feldhusen 1979, Lefkowitz *et al.*. 1977, *apud* Docking, 1987), têm vindo a verificar que as crianças menos violentas provinham de pais moderados em relação à punição; enquanto as crianças mais violentas provinham de pais permissivos ou demasiado punitivos; portanto, as crianças de famílias que se colocam nos dois extremos, demasiado autoritárias ou demasiado permissivas, tendem a apresentar maior número de problemas na escola. Também Baldry e Farrington (2000), baseados em investigação própria e alheia, consideram que os pais dos *bullies* e dos delinquentes, vivem geralmente em permanente conflito, são pouco calorosos, autoritários e utilizam métodos de disciplina severos, inconsistentes, baseados no poder, incluindo os castigos físicos. Segundo Rutter (1985, *apud* Cohen e Cohen, 1987), e ainda a propósito do estilo de autoridade parental, não há melhor remédio do que o de levar as famílias a estabelecerem um padrão de disciplina interna, consistente e razoável (regras definidas e explícitas sobre diversos aspectos da vida em família: refeições, televisão, ausências, etc.). Fizemos já referência (cf. cap. 2.4 e nota 12) a um estudo de Veiga (1999) cujas conclusões, a propósito da relação entre o estilo de autoridade parental e o comportamento dos alunos, são coincidentes com a investigação internacional.

É de salientar que diversos estudos (Espírito Santo, 1994; Vettenburg e Walgrave, 1988) têm concluído por uma fraca relação entre os factores sócioprofissionais e sócioeconómicos dos pais e o comportamento dos filhos; o seu peso parece só fazer-se sentir indirectamente se, de facto, afectarem o clima relacional da família. A propósito convém acrescentar que os problemas não se verificam só com as classes sociais mais débeis económica e culturalmente; estilos de autoridade desajustados encontram-se em todas as classes; e nas classes média e média alta outros problemas se verificam, como uma «desumanizada pressão para o sucesso» acompanhada de um relegar para segundo plano do desenvolvimento pessoal, emocional e relacional. «A sobreposição entre valor pessoal e sucesso leva às crianças e adolescentes uma mensagem de que valem aquilo que conseguem produzir ou atingir, em particular em termos escolares. Se não estiverem ao nível das expectativas e falharem, então não merecem ser amadas e, no extremo, a sua vida não tem valor» (Marujo, Neto e Perloiro, 1999: 20).

O abandono familiar e maus-tratos. Estes fenómenos, associados a outros que levam muitas crianças a viver afastadas da família, são geradores de dificuldades de vária ordem, e de que sobressaem os problemas de integração escolar. Mas uma das consequências mais marcantes é o facto de que «os maus-tratos geralmente aumentam o risco de comportamentos anti-sociais e de agressão, a médio ou longo prazo» (Fonseca, 2007, 154). Como refere o autor citado, existem diversas hipóteses explicativas, todas elas apoiadas em estudos empíricos. «Algumas das mais frequentemente referidas na literatura colocam a ênfase na perda de confiança, por parte das vítimas, nas pessoas mais próximas, que passam a ser vistas como hostis, imprevisíveis ou até perigosas (mesmo quando para isso não parece haver razão). Outras defendem que há uma aprendizagem das condutas agressivas do abusador adulto com o meio preferido ou prevalente de resolução de problemas ou de relacionamento interpessoal. Outras chamam a atenção para défices ou atrasos no desenvolvimento da empatia, a qual normalmente funciona como factor de protecção contra a violência e o comportamento anti-social. Outras, ainda, sugerem que a criança interpreta os maus-tratos como sinal de desvalorização e de rejeição por parte dos adultos, o que, por sua vez, conduziria à frustração e à agressão».

Muitas das crianças vítimas destes comportamentos familiares, muito especialmente do desleixo e do abandono, são acolhidas em instituições que, por vezes, nem têm meios nem "*know how*" para substituírem adequadamente o suporte familiar. Em Portugal são cerca de 17 mil as crianças nestas situações. Em estudo de caso realizado por Amado e colaboradores (2003) junto de uma escola que recebe crianças nesta situação sócio-familiar, procurou-se identificar o «perfil» destes alunos na representação que deles elaboram os seus professores. «Nos seus traços gerais, estes alunos são considerados, socialmente «*escorraçados*», «*abandonados*», «*desprotegidos*» e «*carentes*»; são vistos, ainda, como «*traumatizados pelo abandono*» a que a família os votou. Na vertente pessoal, são alunos com uma história de vida marcada pelo sofrimento, com uma autoestima negativa, extremamente carentes «*de beijinhos*», «*de afecto*», de «*contacto físico*», «*de amor*»; têm grandes dificuldades de adaptação, porque «*sem regras*», «*sem autocontrolo*», «*indiferentes*», «*apáticos*», «*revoltados e ressentidos*», «*oportunistas*» «*impenetráveis*», «*pouco solidários entre si e violentos*». A adaptação escolar é, na maioria dos casos, vista de um modo muito negativo: grandes dificuldades de aprendizagem, desinteresse e desmotivação, incumprimento das regras da aula[21]. Os factores do insucesso educativo são também aqueles que mais determinam o perfil destes alunos: a sua situação social e familiar e as características pessoais. Contudo, outros dois factores são apontados, os escolares (desencontro dos currículos em relação aos interesses destes alunos, alguma falta de coordenação na resposta docente, permissivismo ou agressividade em demasia de alguns professores), e os que derivam do mau clima social do Lar que os acolhe (aspecto que obteve a unanimidade dos entrevistados)» (Amado *et al*., 2003).

– X–

O ambiente familiar é, pois, um factor determinante da socialização da criança (socialização primária), e, em jeito de síntese, pode dizer-se que o disfuncionamento familiar cria fortes possibilidades de «aparecimento de problemas cognitivos, sociais, afectivo-emocionais, comportamentais e físicos» (Marujo, 1992).

Também Campos da Silva (2007, 272), depois de ter estudado a vida social e familiar de alunos-caso (2007), e de ter verificado que não existe homogeneidade de comportamentos nos alunos provindos das camadas mais débeis social e culturalmente, uma vez que entre eles há os que são «disciplinados», os «ocasionalmente indisciplinados» e os «frequentemente indisciplinados», concluiu que estes últimos, « parecem encontrar grande parte de suas condições de possibilidade, no estilo de socialização de suas famílias, pautado pela existência de fortes conflitos internos, de um baixo controle sobre suas atividades – o que propicia o aprendizado de práticas variadas de transgressão – e pela aplicação de uma autoridade

[21] Se usarmos a categorização de Amado (2001: 418), diremos que estes problemas se inscrevem, maioritariamente no *1.° nível* de indisciplina: desvios às regras da produção». Segundo os testemunhos do professores, os *níveis 2* (conflitos inter-pares) e *3* (conflitos da relação professor-aluno) também acontecem, mas não de modo generalizado nem em proporção diferente daqueles que têm origem em alunos com outra situação social e familiar.

parental contextualizada, incapaz de contribuir para a internalização de regras de conduta. Porém, suas atitudes de descumprimento em relação às regras escolares não revelaram uma resistência aberta aos valores escolares que tendiam a ser, de alguma forma, valorizados. Entretanto, a dificuldade que eles mesmos alegam encontrar de cumprir as regras escolares, demonstra que não parecem ter construído, no seio de suas famílias ou em outros espaços sociais, as condições disposicionais necessárias para que pudessem converter uma certa "crença" na legitimidade das regras e das atividades escolares, em práticas consoantes com as exigências da escola. Contudo, a observação da sala de aula indicou que esses alunos tendem a diminuir a intensidade de seus comportamentos desviantes, na presença de certos professores, demonstrando sensibilidade às mudanças do contexto pedagógico e revelando que seus comportamentos de indisciplina não se explicam inteiramente por suas condições de vida familiar»

Por outro lado, não pode esquecer-se que a família, como sub-sistema, recebe também a influência do que se passa na escola; as perturbações e a indisciplina na aula vão reflectir-se, de variados modos, no sub-sistema familiar, criando sentimentos de angústia, ansiedade, receios, hostilidades, nos seus vários elementos, alianças de uns contra outros, encobrimentos, etc. (Levy-Basse et al., 1988; Cooper e Upton, 1990; 1992); deve, mesmo, ter-se em conta a existência de uma causalidade circular entre os dois subsistemas, o familiar e o escolar (Simons et al., 1989), e em cuja encruzilhada a criança pode não passar de um bode expiatório (Barreiros, 1996: 94).

C – Factores sociais

Diz Dubet (2000: 19) que «os alunos mais violentos são frequentemente os alunos mais "vítimas"»; de facto, para além dos efeitos das relações familiares problemáticas, sobre muitos deles recaem os efeitos de políticas sociais e económicas desastrosas e promotoras da exclusão. A escola e a turma não funcionam à margem da vida e da estrutura social. Os elos são muitos e de variada natureza.

Ao colocarem muitas famílias na dramática situação de desemprego ou de emprego precário, estas políticas criam situações «que afectam profundamente os processos de controlo social e de socialização» *(ibidem)*, gerando, a par de grande pobreza em largos sectores da população (associada a má nutrição, falta de higiene, más condições habitacionais com todas as consequências a nível de saúde e de desempenho escolar, concentração desordenada e sem o mínimo de condições nas periferias, formação de guetos), uma grande incerteza quanto ao futuro, uma perda dos valores tradicionais como o respeito pela propriedade e pela autoridade. Os pais, para além de perderem a autoridade sobre os filhos e a capacidade de controlo, sentem-se «escolarmente» incompetentes, apresentando grande relutância em vir à escola, porque, no seu próprio dizer, «a escola só lhes dá tristeza», «têm vergonha pelo comportamento do filho», ou julgam castigar o seu mau comportamento não dando sinais de interesse pelas suas vidas (Rodrigues, 1999). Por outro lado, estas situações económicas estimulam nos jovens a constituição e o reforço de «uma cultura juvenil delinquente, oscilando entre o jogo, a revolta e as estratégias económicas desviantes dos diversos tráficos da economia subterrânea» (Dubet, 2000: 18). São sobretudo grupos da população menos protegidos, como os imigrantes, que são as maiores vitimas destas situações, uma vez que, à falta de integração económica e ao isolamento que daí decorre, acresce todo um conjunto de ataques à sua identidade cultural.

D – Factores pedagógicos.

Como afirmam Johnson e Bany (1974: 22), parece razoável e útil (do ponto de vista pedagógico) admitir «que as crianças que reagem negativamente à escola, na sequência da deterioração do seu meio familiar, não o fazem senão porque o seu meio escolar não faz senão agravar e ampliar os seus problemas pessoais". É desse agravamento, para além dos constrangimentos típicos das situações escolar e de aula, que vamos falar aqui.

A vida na sala de aula é feita de actividades, de comunicações, de tempos espartilhados, de reflexões, de ordens, explicações, exposições.... mil coisas.... Para além do visível e do observável, há um mundo simbólico, profundo e invisível, constituído por fenómenos de natureza subjectiva, como as crenças, as expectativas, as representações, as intenções, os projectos, as emoções, os afectos e, também, as interpretações que alunos e professores fazem, constantemente, dos comportamentos, das palavras e das atitudes uns dos outros. E é aqui que se concretiza o fenómeno da interacção: quando duas pessoas ou mais se encontram numa relação face-a-face, estão constantemente a interpretar os seus actos e os das outras pessoas, e a reagir em função dessa mesma interpretação. A consequência desta teoria é a de que não se poderá compreender um qualquer fenómeno social (neste caso, a aula) sem ter em conta as interpretações que dele e nele fazem os actores ou intervenientes (Mead, G., s/d.; Coulon, 1993).

Isso mesmo se verifica a propósito de um qualquer incidente disciplinar; é preciso saber encontrar nele a sua dimensão simbólica constituída pelas crenças e expectativas dos intervenientes (professores e alunos) e pelas respectivas interpretações da situação. Essa preocupação revelará quanto, nas entrelinhas de um incidente que ele mesmo se deve ao que pensam professores e alunos uns dos outros e ao que pensam da natureza (agradável, aborrecida, útil ou inútil, digna, indigna, justa ou injusta...) das situações em que estão envolvidos (Pollard, 1989). Como já vimos na primeira parte, o facto de os alunos interpretarem o comportamento do professor como revelador de incompetências de ordem técnica e relacional (má gestão dos poderes na aula, caindo facilmente nos extremos: autoritarismo e permissivismo), constitui importante factor para a compreensão dos comportamentos de indisciplina que situámos no primeiro nível e que dizem respeito à perturbação «do bom funcionamento da aula».

Coloca-se então, aqui, a questão da natureza das relações e das interacções que se estabelecem entre os professores-caso, os alunos-problema e as turmas-problema. A observação, mas sobretudo a análise do «ponto de vista» de alunos e professores «demonstra» (Freire, 2001, Amado, 1998, 2001, Vaz da Silva, 1998, Hargreaves, 1986, Woods, 1979) que a natureza dessas relações e interacções nem sempre é a mais positiva e salutar. E aqui, mais uma vez, se conjuga o subjectivo (a interpretações da situação efectuadas por alunos e professores), com o objectivo (um conjunto de comportamentos reiterados e observáveis). De facto (e muita investigação o tem confirmado: Vettenburg e Walgrave, 1988; Hargreaves, Hester e Mellor, 1975), estes alunos são os que mais fácil e frequentemente estão sujeitos a todo o conjunto de processos interactivos que as teorias da *etiquetagem* ou da *profecia auto-realizada* (Amado, 2001) descrevem ao pormenor. «Não sendo os únicos, portanto, sujeitos a tais processos, é contudo, sobre tais alunos que mais facilmente recaem os *rótulos* e *expectativas negativas* (interpretação do professor), se exerce maior vigilância, se cai em «erros de alvo» (não é necessária a infracção para se ser infractor), e se tem todo um tipo de interacções verbais e não-verbais diferentes das que se estabelecem em relação à média da turma: o professor interactua menos vezes com eles, usa de maior severidade na avaliação e na actuação disciplinar, utiliza ironias ofensivas e imiscui-se em esferas que o aluno considera serem da sua privacidade. Isto leva-os a sentirem-se excluídos, perseguidos, vítimas de injustiça e de incompreensão» (Amado, 2001: 442).

Este tipo de interpretações levou o autor a inventariar, a partir do testemunho de alunos e de observações directas de aula, todo um tipo de situações consideradas por aqueles como geradoras de injustiça interaccional, usando, talvez, aquele «filtro desagradável» que acima referimos a propósito de como os alunos com auto-conceito negativo interpretam os actos dos outros significativos; é desse inventário que passamos a falar resumidamente.

Como afirma Polk (1988), «na óptica de muitos adolescentes, as escolas são locais onde a justiça e a rectidão não existem»; e a investigação realizada neste domínio (Perrenoud, 1978, Polk, 1998) salienta dois aspectos aparentemente contraditórios entre si: por um lado, as desigualdades de tratamento, por parte do professor em relação aos alunos; por outro, a incapacidade deste ter em conta as diferenças de cada um!... Estrela (1986) chama também a atenção para um conjunto de situações do quotidiano da aula relacionadas com a distribuição, orientação e natureza da comunicação do professor em função das características disciplinares e académicas dos alunos e das representações que sobre elas constrói o docente; isso faz com que uns sejam privilegiados com estímulos e incentivos e outros deixados em autênticos «desertos de comunicação».

Este tipo de gestão da aula cria sentimentos negativos em muitos dos alunos, estilhaçando a imagem do professor como um modelo perfeito... afinal ele também tem os seus defeitos, age injustamente, faz apreciações erróneas e limitadas, deixa-se enredar nas estratégias dos «graxas» e é parcial nas relações abandonando uns e outros por diversos motivos! Dubet e Martuccelli (1996) vêem nestes julgamentos da criança e adolescente um indicador do seu crescimento moral, e que se traduz num progressivo distanciamento em relação ao adulto, no reconhecimento das diferentes esferas de contextualização da justiça (vida privada ou vida pública; no recreio, na aula ou fora da escola...), na exigência de imparcialidade nas relações e avaliação, e na reciprocidade de sentimentos, de direitos e de deveres; deste modo, o sentimento de injustiça é «necessário» ao aluno, na própria expressão de Dubet (1999), para que surja da parte dele um actividade crítica responsável pela construção de si-mesmo como sujeito. É ainda este autor que sublinha três critérios fundamentais no conceito de justiça dos jovens estudantes: o mérito, a igualdade e o respeito; estes critérios, devido à tensão e desequilíbrio que mantêm entre si (e em função das idades dos alunos e da sua situação escolar), não deixarão de colocar graves problemas e dilemas práticos à acção docente.

Amado (2000a) estabelece o seguinte quadro das situações referidas pelos alunos e por eles interpretadas como injustas:

QUADRO 3.3 – *Atitudes e comportamentos injustos dos professores (segundo a perspectiva dos alunos)*

A)... Na Relação Quotidiana	B)... Nos Processos de Ensino e Avaliação	C)... Nos Procedimentos Disciplinares
– Formas de tratamento ofensivas. – Injuriar o aluno ou a turma devido à própria indisciplina. – Fazer comparações impróprias com outros parentes. – Não pedir desculpa ao aluno quando seria oportuno. – Não admitir críticas dos alunos à sua actuação. – Intrometer-se na vida particular do aluno. – Agir sob influência de problemas pessoais.	– Interagir mais frequentemente com os «melhores». – Interagir mais frequentemente com os «da frente». – Ridicularizar e depreciar o aluno a propósito de questões que ele coloque. – Diferenciar as actividades curriculares dos rapazes e das raparigas. – Utilizar o "poder de avaliar" para controlar o comportamento do aluno.	– Errar o alvo. – Discriminar e favorecer na acção disciplinadora. – Castigar sem motivos que o justifiquem aos olhos do aluno. – Faltar à verdade nas informações a outras instâncias.

(Amado, 2000a)

Como se pode ver, as situações de injustiça são aquelas que, sendo da responsabilidade do professor, escandalizam e ofendem o aluno, tanto no âmbito da "relação quotidiana" em geral, como nos planos mais específicos da comunicação, da avaliação das aprendizagens e, sobretudo, das estratégias e técnicas de "disciplinação"; é nestes três domínios que se desencadeiam os mecanismos da desigualdade na sala de aula e da tipificação do professor enquanto «injusto».

O quadro revela que *as atitudes e comportamentos injustos, na relação quotidiana*, assentam no tratamento insultuoso que o professor pode dar ao aluno ou à turma e na incapacidade de aceitar uma relação baseada no princípio da reciprocidade (reconhecendo-se-lhe o direito de criticar deve também aceitar as críticas); por outro lado, o quadro aponta para a necessidade que o professor tem de saber respeitar as fronteiras entre o privado e o público, de modo a que os seus problemas «pessoais» não intervenham na relação, nem que a vida privada do aluno seja objecto do olhar crítico e de invasão por parte do docente.

As atitudes e comportamentos injustos nos processos de ensino e de avaliação – Recordemos que a cultura da escola se dirige constantemente, mesmo nos mais subtis processos interactivos, para a valorização e prémio dos que têm sucesso, e penalização dos restantes, o que faz com que se caia, com facilidade, no que um autor chamou de «uma negação rotineira da justiça natural» (Polk, 1988: 112). São estes mecanismos avaliativos da escola e da aula, também aqui exercendo uma forte pressão para o sucesso, que podem estar na base de fortes emoções negativas (tristeza, aborrecimento, depressão sentimento de que se é injustiçado, perseguido, desvalorizado, humilhado, etc.), facilmente associáveis a pensamentos e acções compensadoras e revalorizadoras da auto-imagem, que podem passar por actos de indisciplina e actos mais violentos (Merle, 1999; Peralva, 1997; Marujo *et al.*,1999).

A parcialidade na acção do professor é, portanto, considerada como uma injustiça pelos alunos; do seu ponto de vista, tem de haver alguma equidade na distribuição dos estímulos, como perguntas, respostas, olhares, etc. Há que saber administrar correctamente o espaço, não podendo haver zonas preferenciadas, como os lugares da frente. Por outro lado o aluno tem direito a fazer perguntas sem receio de ser ridicularizado, e a ser avaliado com equidade (Merle, 1999). Embora a investigação (Noizet e Caverni, 1986) revele como nos processos de avaliação os fenómenos de enviesamento (efeito de halo...) ocorrem sem que o professor tenha consciência deles, essa inconsciência, no entanto, não lhes retira a gravidade nem a necessidade de uma formação que consciencialize para todos estes processos responsáveis por grande mal-estar nas relações que se processam no interior da sala de aula.

Quanto às atitudes e comportamentos injustos nos procedimentos disciplinares, é sabido como estes procedimentos são frequentemente julgados pelos alunos (cf. Dubet e Martuccelli, 1996; Debarbieux, 1999) como formas de concretizar um poder arbitrário (inconsistente, sem fundamento) e perverso (enviesado por apreciações incorrectas e desproporcionado). Há alunos com mais dificuldade em obter consciência da necessidade da regra e dos valores como cimento das relações e como estrutura fundamental de qualquer tipo de acção comum; mas essa dificuldade agravar-se-á se, no dia-a-dia da escola, a experiência (ainda que subjectiva) for a da arbitrariedade, a da perseguição, a da desproporção de meios coercivos... e, às vezes tão só a da (fácil) perda de controlo por parte dos professores que os enreda «num ciclo vicioso com os estudantes e em que ambos os lados intensificam o comportamento do lado oposto» (Créton et al., 1993: 7).

Neste rol de situações tidas pelos alunos como geradoras de «injustiças» «são alguns dos *direitos elementares do aluno* que estão a ser postos em causa:

- ao desconhecer-se ou desprezar-se a sua identidade e subjectividade;
- ao invadir-se o seu mundo privado;
- ao interagir com ele ignorando o princípio da reciprocidade de sentimentos e de tratamentos;
- ao distribuir, com parcialidade, estímulos e aplausos;
- ao discriminar em função do sexo;
- ao confundir os planos da avaliação (remuneração) e do controlo dos comportamentos;
- ao interagir em função de expectativas negativas;
- ao manifestar expectativas negativas em relação ao aluno;
- ao cometer arbitrariedade e perversidade na acção disciplinar para com o aluno ou para com a turma;
- ao faltar à verdade nas informações e depoimentos sobre o aluno» (Amado, 2000a: 138).

Não se deve ignorar que estas «micro-injustiças» podem ser, no tempo de uma escola única para todos ("democrática"), os mecanismos invisíveis de fabricação dos *«excluídos do interior»*: «/a escola/ guarda no seu seio aqueles que ela exclui, contentando-se de os relegar para as fileiras mais desvalorizadas. Segue-se daí que estes «excluídos do interior» estão votados a balançar, em função, sem dúvida, das flutuações e das oscilações destas sanções, entre a adesão maravilhada à ilusão que ela propõe e a resignação aos seus veredictos, entre a submissão ansiosa e a revolta impotente» (Bourdieu et al., 1993: 602).

Interessa-nos sublinhar ainda dois aspectos importantes: o primeiro é que não se pode generalizar e afirmar, como é comum fazer-se, que atrás dos actos de indisciplina esteja sempre um «professor injusto» na acepção do termo aqui desenvolvido; julgamos que são os próprios alunos que sabem reconhecer quando há, por parte do professor, atitudes discriminatórias, ofensivas e verdadeiramente injustas. O segundo aspecto, é um pouco, o reverso da medalha: a investigação tem mostrado que o aluno *não sofre passivamente* os atentados aos seus direitos nem as «injustiças» de que se sente vítima na sala de aula (Gouveia-Pereira, 2008; Carvalho, 2007). Nessa linha pode concluir-se que alguns dos comportamentos tidos como indisciplina (muito especialmente a que classificamos de "terceiro nível") e como violência sobre os professores possuem, como motivação fundamental, um desejo de *retaliação* e uma necessidade de *reequilibrar* a imagem perante o grupo de colegas (Marsh, Rosser e Harré, 1980; Dubet, 1999).

Estudos realizados no quadro das psicologia das organizações e da psicologia social, focando a situação escolar (Gouveia-Pereira, 2008; Marçal, 2005), têm concluído no mesmo sentido: a legitimação da autoridade está intimamente relacionada com os julgamentos em torno da justiça do professor (em especial na dimensão relacional). Confirma-se «que quanto mais os alunos percepcionam que o professor procede de forma justa para tomar uma decisão e que os trata com dignidade e respeito, mais facilmente legitimam a autoridade do professor» (Marçal, 2005, 149). E, como diz Gouveia-Pereira (2008) «a percepção de justiça é o factor crítico da experiência escolar na legitimação da autoridade escolar e na avaliação da autoridade institucional extra-escolar»; este último aspecto, revela a estreita relação entre a legitimação, por parte dos alunos, da autoridade do professor, e os julgamentos que eles mesmo fazem em torno da autoridade em geral, o que acarreta consequências muito importantes especialmente no sentido de se repensar o modo como se exerce a formação cívica na escola (cf. Carita, 2005).

Embora todo este percurso tenha sido feito na perspectiva do aluno, tentando entrar por dentro do modo como ele interpreta e sente as situações descritas, julgamos que os professores, pelo menos os que são capazes de ouvir os alunos, têm perfeita consciência dessas situações e sabem colocar-se no lugar deles nesse jogo interpretativo; isso mesmo ressalta deste testemunho colhido em entrevista um Director de Turma: *«...o que eles se queixam tem normalmente a ver com injustiça; se um professor... acham que um professor foi injusto e, normalmente, quando eles se queixam têm razão porque nós somos humanos e de vez em quando erramos, não é... e queixam-se dos professores... é muito feio dizer isto, mas é verdade, porque foi injusto porque eu estava a falar mas o outro também estava a falar e marcou... pronto...»* (Amado *et al.*, 2003)

Por outro lado, não é apenas ao nível de uma relação pedagógica, entre professores e alunos, que a prática escolar afecta estes últimos e se constitui em factor de risco; a cultura e o clima da escola, como vimos na segunda parte, é fortemente determinante do tipo de comportamentos e interacções que se verificam no interior dos seus muros (Freire, 2001, Mata, 2000, Almeida e Santos, 1990).

– X –

Uma última palavra acerca dos factores de risco globalmente considerados, para sublinhar a importância relativa de cada um deles e o lugar dos factores pedagógicos na sua relação com todos os outros.

Antes de mais há que sublinhar como a investigação tem vindo a revelar a importância das experiencias e dos factores dos primeiros anos de vida no desencadear e na escalada ou diminuição de comportamentos anti-socais ao longo das fases posteriores. Como conclui Fonseca (2007, 159) numa importante revisão da literatura sobre este tema: «há numerosas indicações de que os adultos, com formas mais graves e persistentes de criminalidade e violência, já na infância apresentavam diversas características que os diferenciavam das crianças bem comportadas. Tais diferenças apareciam, por exemplo, na hiperactividade e problemas de atenção, nas dificuldades de aprendizagem, na rejeição pelos colegas, no isolamento social e, sobretudo, em manifestações de oposição e desafio ou em comportamentos agressivos. Mas, ao mesmo tempo, tem-se verificado também que, em muitos casos, há uma diminuição, ou mesmo desistência, desse tipo de conduta» pelo que «nem todas as crianças com comportamentos anti-sociais se tornam em idade adulta psicopatas ou criminosos violentos». Isso mesmo poderá ser explicado, também, pelo facto de os comportamentos desviantes e anti-sociais não serem resultantes de uma única causa identificável (Rijo *et al.*, s/d, 8).

De facto, seria incorrecto admitir como factor determinante, ou mesmo exclusivo, apenas um dos muitos possíveis; como afirma Dumas (2000: 90), «as pessoas gostam habitualmente de explicações simples; encontram muitas dessas explicações na imprensa popular e naqueles autores que pretendem saber tudo sem nunca ter estudado nada». E é, ainda, o mesmo autor que, face à necessidade de considerar o peso relativo de diversos factores, afirma: «estas explicações fazem todavia pouco caso de um ponto essencial, a saber, que as mesmas circunstâncias não têm forçosamente as mesmas consequências, nos domínios da agressividade e da violência como de outros» (Dumas, 2000: 93).

É aqui que mais uma vez há a considerar o papel da Escola. Sabemos que na Escola se vem reflectir muito do que já parte do percursos e "trajecto" de vida das crianças e jovens que a frequentam; sabemos que na escola se podem aprofundar ainda mais as experiencias negativas vividas no contexto familiar e social – muito especial quando «a sua permanência na instituição escolar se prolonga sem sucesso» (Taborda Simões *et al.*, 2000); mas também sabemos que há muitas formas de construir a Escola, de gerir e lidar com os problemas que nela se deparam... e algumas dessas formas vão no sentido de promover o sucesso (escolar e social) do aluno, exigindo dele o que ele pode dar, mas também procurando ouvi-lo, integrá-lo, corresponsabilizá-lo... em suma «respeitando-o». Tal como já dissemos (Amado, 2007a) «sendo a escola sempre um ponto de referência (positivo ou negativo) para as crianças e jovens, é forçoso que no seu interior se robusteçam as competências relacionais e organizacionais necessárias para lidar sobretudo com os alunos que trazem, à partida, dos seus contextos sócio-culturais e familiares e da sua própria história de vida, pesados factores de risco. São eles os que mais precisam da escola e de professores que os compreendam e os ajudem a ser e a vir a ser "melhores" em todas as dimensões da vida humana. Não é fácil, nos dias de hoje, em que todos esperam muito da escola e, ao mesmo tempo, tudo concorre para que ela não cumpra os seus principais objectivos – as políticas economicistas, a desvalorização do estatuto dos professores, a desvalorização da sua formação... mas também a cultura que valoriza o que é mais fácil, o consumismo, a arrogância do mais forte ou poderoso, o individualismo e desprezo pelo outro, sobretudo se é mais fraco e está em minoria!... Não é fácil... mas é possível!».

3.5. *QUE FUNÇÕES ATRIBUIR AOS PROBLEMAS DA RELAÇÃO?*

Tendo em conta o contexto da relação e da interacção pedagógica, ousamos interpretar os comportamentos desviantes da natureza dos que situamos a este nível, e sejam quais forem os factores mais relevantes em cada acaso, como possuindo uma função pedagógica de *contestação* de valores, regras, exigências e práticas que pouco sentido têm para os seus projectos de vida; pode dizer-se que estamos diante de uma indisciplina (por vezes na forma de violência), que se exerce, de facto, *contra certos professores* ou *contra a escola*. Esta é, aliás, uma interpretação comum a diversos autores (Dubet, 1991, 1999, 2000; Estrela, 1986). Como afirma Peralva (1997: 108) «considerada do ponto de vista dos alunos, a sua violência em relação aos adultos, constitui, como já o dissemos, a sombra iminente de um fenómeno bem mais geral, a resistência ao julgamento escolar. Esta violência é compreendida pelo aluno como motivada. Ela é da ordem da protestação. Protesta-se contra o mau exercício, pelo adulto, da sua capacidade de julgar e de fazer justiça». E Semmens (1988: 49) tem razão ao afirmar: «o comportamento perturbado associado à adolescência não é uma ocorrência cataclísmica nos 9 anos de escolaridade, mas resulta de um longo período de experiência de desvalorização e de desarticulação da vida comum na escola». Amado (1989) verificando que a maior percentagem dos incidentes deste nível (no conjunto das 774 participações analisadas) tomava a forma de *"réplica a avisos, chamadas de atenção e expulsões"* (pressupondo, por isso uma escalada de incidentes) concluiu que eles acabavam de conferir um tom de contestação a todos os restantes comportamentos desta categoria; o aluno contesta « porque não está de acordo com as exigências do professor, com os valores que ele pretende impor, com os seus critérios de avaliação, com os seus métodos de ensino e, até com a sua parcialidade; enfim contesta-se tudo aquilo que, do ponto de vista do aluno é, por certo, a razão de ser do seu insucesso e que, por isso mesmo, se deseja ver alterado» (Amado, 1998).

A essa função acrescem outras de carácter psicossocial e que se destinam a procurar o *reequilíbrio* do prestígio perante os colegas, chamando a atenção sobre si; *retribuição* e *retaliação* das injustiças reais ou imaginárias de que se julgam vítimas (Marsh et al., 1978) – não só as que resultam da interacção com os professores, mas também as que advêm de um "sistema" que lhes faz experimentar o insucesso. Como disse Dubet (1991: 184): «mais do que a origem social, estes alunos partilham uma história escolar, a do insucesso e da exclusão, e as suas atitudes derivam mais de factores escolares do que das suas origens sociais»; e mais recentemente o mesmo autor (Dubet, 2000) acrescenta: «quando o aluno pertence a um grupo étnico estigmatizado, quando o professor se deixa levar por atitudes vagamente racistas que são menos raras dos que poderíamos crer, a violência dos alunos torna-se legítima a seus olhos. É também uma revolta justa aos olhos dos seus camaradas, porque defende a honra do grupo».

Tal como fizemos a propósito dos níveis anteriores faremos também agora um breve percurso por dentro de alguns incidentes que situamos dentro deste nível de problemas, tentando, com base no conhecimento dos contextos e dos actores em causa (a partir da pesquisa etnográfica de Amado, 1998[22]), fazer a leitura possível das funções destes desvios.

- **Agressões físicas a professores**

Os comportamentos registados traduziram-se em «cuspir» na professora, o que era acompanhado por agressões verbais. Trata-se de comportamentos extremamente raros no conjunto dos registos (dois casos) efectuados na pesquisa referida; mas a sua raridade não lhes retira a gravidade e a necessidade de uma reflexão sobre o que, na escola e fora dela, poderá levar a estes comportamentos. A contextualização observada destes incidentes, que tiveram lugar com alunos do 8.° ano (um repetente) em aulas das professoras "A" e "L" referidas nas tabelas 3.1 e 3.2 (Amado, 1998), levou a colocar a hipótese de que este tipo de comportamentos, para se verificar, exige certas particularidades no que respeita ao professor-vítima e ao aluno provocador: professores com fraca assertividade, alunos com problemas que ultrapassem a esfera da responsabilidade da escola e do professor (efectivas perturbações psicológicas, stress e frustração, estilo de autoridade parental marcado por forte autoritarismo, etc.).

Este tipo de comportamento e outros muito mais graves que frequentemente nos chegam por diversas vias (inclusive através dos meios de comunicação social), podem considerar-se actos violentos, roçando a

---

[22] Recordamos que este estudo se fez numa escola se terceiro ciclo e secundária da Zona Centro de Portugal e com alunos maioritariamente da classe média.

delinquência e o crime; mas nesta pesquisa de 3 anos, junto de 6 turmas formadas por adolescentes oriundos da classe média e média-baixa, no percurso do seu terceiro ciclo, estes foram os únicos de que tivemos conhecimento[23].

- **Insultos a professores**

Trata-se de comportamentos verbais, do aluno, proferidos com a intenção de ofender, escarnecer e irritar o professor; incluem-se também comportamentos não-verbais com intenções semelhantes. A sua «morfologia» é, pois, constituída por palavras, gestos, e atitudes não verbais como o «tom de voz».

Não sendo numerosos os casos detectados no estudo em causa, estes comportamentos encontraram-se dispersos pelos 3 anos de escolaridade, com alguma concentração num dos alunos em dois anos consecutivos, e num crescendo de gravidade do 7.° para o 8.° ano. Alguns destes comportamentos são explicados pelos próprios professores como *«uma agressividade natural»*, por uma certa desadaptação do aluno (muito mais velho) e, ainda, por forma de alimentar algum prestígio no grupo. Casos, porém, mais graves, que chegaram às raias da «provocação» da professora ("L", da tabela 3.2) são vistos como sintomas de perturbação psicológica.

- **Grosserias, obscenidades e atentados ao pudor**

Trata-se de comportamentos verbais e não verbais (arrotos, por exemplo) do aluno que demonstram «indelicadeza», ou ofendem «o pudor e a decência», afectando a dignidade das pessoas e da aula e acarretando a reprovação dos professores e dos pares.

Se tivermos em conta que os 3 tipos de comportamentos até agora analisados (agressões, insultos e grosserias) são, no estudo referido (Amado, 1998), na sua maioria, da responsabilidade de «alunos-caso» na

---

[23] A raridade destes casos é confirmada noutros estudos nacionais (Freire, 2001: 348) e internacionais (Imich, A. J., 1994); o destaque que é dado através dos meios de comunicação social pode contribuir para, como afirma Vettenburg (2000: 30) «estigmatizar a violência do adversário» e «apresentar a reacção como uma forma de legítima defesa», ao mesmo tempo que leva a opinião pública a reclamar mais segurança, o que favorece certas políticas. Barra da Costa (2002: 36) apresenta outra consequência: «reclamando-se para a escola mais segurança, mais arame farpado e mais polícia, o que se consegue são "apenas" crimes mais graves, de desafio à autoridade».

sua relação com professores de fraca assertividade, que funções podem desempenhar estes comportamentos? Talvez respondam mais a problemas de ordem psicológica do que pedagógica; mas também não se excluem funções como as de *contestação* da autoridade e dos valores da sociabilidade, ou, ainda, funções de *retribuição* e de *retaliação* pelas injustiças reais ou imaginárias de que se julga vítima – não só as que resultam da interacção com este ou aquele professor, mas também e, às vezes sobretudo, as que resultam de um sistema escolar que os confronta com o insucesso e suas consequências negativas, tal como já o dissemos em alínea anterior.

• **Réplicas à acção disciplinadora**

Conjunto de comportamentos, verbais e não verbais, que exprimem «insolência» para com o professor, num contexto muito preciso que é o da resposta pessoal do aluno ou da turma, a avisos, chamadas de atenção, reprimendas e castigos, «*depois de passar os limites*» – o que os leva a ser considerados, por professores e alunos, como agravantes das situações anteriores, merecedoras de reparo. Sendo este o conjunto de incidentes da relação professor-aluno que apresenta maior frequência em dois estudos efectuados por Amado (1989, 1998), oferece, por isso mesmo, a possibilidade de uma caracterização tendo como critério as intenções dos seus autores. Estas intenções dos alunos variam consoante o contexto e, do ponto de vista docente e discente, elas podem traduzir:

- *contestação* directa e o protesto contra as acções disciplinadoras (em especial aquelas que o aluno considera injustas e desadequadas),
- *provocação* do professor (*oposição* às exigências e constrangimentos da aula),
- *exibição* perante os colegas;
- *desdém e indiferença* pela acção disciplinadora.

No exemplo que se segue, transcrição de uma "participação disciplinar", notemos, em primeiro lugar, o carácter interaccional subjacente a estes incidentes; de facto, ele permite sublinhar o papel da interpretação do professor para que se impute o carácter de desviante a estes comportamentos; por outro lado, revela como essa mesma interpretação é reforçada pelas características do comportamento não-verbal do aluno, particularmente pela expressão facial:

> *«Participo ao Director de Turma do 8.ºA, que no dia 17 de Novembro mandei sair da sala de aula o aluno Edmundo, por este estar constantemente a perturbar a aula e depois de várias vezes avisado,* ***a determinado momento deu uma gargalhada, o que me levou a mandar sair o aluno. Este fê-lo, mas com ar arrogante, opressivo e mal-criadamente****, o que agravou a situação».*

Este outro incidente revela que estes comportamentos, por vezes, podem ser da responsabilidade de toda uma turma, que os executa um pouco por jogo, mas também como protesto solidário e a coberto "da lei do número" (e que ganha também a forma de obstrução da aula, através de ruídos e barulhos):

> *«não posso deixar de referir os constantes atropelos, os barulho, os protestos e a falta de respeito pelos outros que alguns elementos da turma manifestam, quer quando são chamados à atenção, quer pelos "pretextos" que utilizam para interromperem a aula ou ainda quando não acatam as ordens ordeiramente!.. (...) Mesmo depois do Sacadura e do Leão saírem,* ***alguns colegas, não identificados, perturbaram a aula mexendo-se nas cadeiras e arrastando os pés das mesmas no chão,*** *que é de mosaico (sala 6) o que produz um barulho muito áspero e irritante. Continuaram a produzir este barulho mesmo depois de terem sido chamados à atenção!..»).*

Não há dúvida que nestas condutas de provocação (muito especialmente quando são da responsabilidade de alunos reincidentes e «difíceis», difíceis até de entender em toda a extensão das suas motivações) convergem todas as outras funções, criando um alto grau de *stress* nos professores e prejudicando a aula.

- **Desobedecer ao professor**

Incluímos nesta categoria o conjunto de comportamentos que consistem na recusa ou resistência ao cumprimento de ordens do professor na sala de aula e no incitamento à desobediência. São comportamentos tidos por professores e alunos como graves, sobretudo se se trata da resistência a uma expulsão da sala; além disso são situações embaraçosas e geradoras de alguns dilemas. Um professor que não se faça obedecer numa situação destas, do ponto de vista dos próprios alunos[24], desautoriza-se, perde a capacidade de controlar a aula e não cumpre o seu papel; também do ponto de vista do aluno, o professor não deve aceitar evasivas. Podemos verificar que na desobediência do aluno podem estar intenções diferenciadas, como, contestar e desafiar a autoridade, mostrar oposição ao professor e, evitar cumprir certas tarefas e, mais simplesmente, procurar ganhar tempo para que o professor reconsidere na sua acção disciplinadora.

- **Desviar-danificar a propriedade do professor e da instituição**

O incidente registado, que consistiu em furar os 4 pneus do carro de uma professora, foi interpretado pelos alunos como um acto de vingança contra a professora; tanto professores como alunos o consideraram como muito grave, tendo merecido, mesmo, um dia de suspensão aos seus autores. É chocante, contudo, a frieza com que alunos de 12, 13 anos justificam actos deste tipo; repare-se na «alegação» da autoria de um dos implicados, que parece bastante significativa do estado de espírito e, também, de um certo desenvolvimento moral destes alunos:

> *«no dia 12 de Novembro fui um dos quatro elementos que esvaziaram os pneus do carro da professora, que não é da turma, pensando que se tratava do carro da professora de (...). Eu admito que actuei mal e irreflectidamente, sem pensar naquilo que poderia ter acontecido aos ocupantes do veículo. Admito também que, apesar de ter participado, apenas tirei o pipo do pneu, pois logo a seguir gritaram que vinha a professora a encaminhar-se para o local. Devido a isto já fui severamente punido, pois tive uma distensão muscular na perna esquerda não podendo fazer Educação Física e ir aos treinos de natação».*

---

[24] E não só dos alunos; ouvimos, em conselhos disciplinares e em reuniões com encarregados de educação, expressões que vão no mesmo sentido, considerando como "inconcebíveis" tais situações

A análise do aluno é um tanto fria, calculista, e pouco coincidente com a sensibilidade habitual em questões destas: considera já ter sido suficientemente castigado por uma acidental distensão muscular, enquanto fugia, tanto mais que a sua participação no incidente se resumira, *«apenas»* a ter tirado o pipo do pneu»!

Não há dúvida que estamos diante de um conjunto de comportamentos a que professores e alunos atribuem um alto grau de gravidade, pelo seu carácter «desrespeitoso», «agressivo», «ofensivo», de desafio à autoridade, de desdém pelas normas e exigências da escola. Verifica-se, também, que o número de alunos que se envolve, de modo mais persistente, neste tipo de problemas, é muito limitado. Verificámos ainda que estes problemas ocorrem de preferência, mais em certas turmas do que noutras (as nossas turmas-caso); mais com certos professores do que com outros (os professores que já tivemos o ensejo de caracterizar e cujo traço comum é o de possuírem um «elevado» grau de indisciplina nas suas aulas e, portanto, com grandes dificuldades no lidar – prevenir e remediar – os problemas de indisciplina). Para entender o significado e a função pedagógico destes comportamentos há que ter em conta variáveis idiossincráticas, quer do aluno (neste caso, uma forte necessidade de chamar a atenção sobre si), quer do professor (falta de assertividade), e reconhecer que só uma análise muito próxima e contextual permitirá o necessário exercício de decifração e de interpretação.

IV PARTE

A INTERVENÇÃO

A INTERVENÇÃO

A problemática da indisciplina, dada a sua grande complexidade, requer respostas diversificadas em função dos problemas diagnosticados, considerando as diferentes situações e contextos sociais e escolares. Não há respostas-tipo nem receitas para lidar com a indisciplina. Cada caso é um caso e o professor terá de procurar mobilizar, em cada situação, a sua capacidade de diagnóstico, o bom senso, a capacidade de reflexão e a competência pedagógica em geral, em articulação com a sua filosofia de educação e o quadro de referências oferecido pela própria organização escolar em que trabalha, no sentido de encontrar as soluções mais adequadas para os problemas com que se defronta.

Os resultados da investigação sobre a indisciplina apontam para a importância da prevenção e a fraca eficácia dos processos correctivos. O que verdadeiramente distingue, tanto os professores como as escolas face às questões disciplinares, é o modo como se antecipam aos problemas, prevenindo assim as situações difíceis de gerir.

Considerando esta linha orientadora centrada na prevenção, podemos identificar três frentes de acção da escola para a prevenção da indisciplina em geral e da agressividade e da violência, em particular, as quais simultaneamente concorrem para a promoção do desenvolvimento pessoal e social dos alunos e da qualidade de vida e do bem-estar social nas escolas em geral:

- *prevenção primária*,
- *prevenção secundária (intervenção precoce)*,
- *prevenção terciária (intervenção face aos casos persistentes)*.

4.1. *PREVENÇÃO PRIMÁRIA*

A prevenção relativamente a qualquer fenómeno corresponde ao conjunto de acções, mais ou menos coordenadas, que actuam por antecipação face a esse mesmo fenómeno. A prevenção da indisciplina e da violência na escola constitui simultaneamente uma acção preventiva do insucesso, da desmotivação e do abandono escolar, a curto e médio prazo, e de fenómenos de carácter social, como a delinquência e a exclusão social, a longo prazo.

Naturalmente que este nível de prevenção se baseia em medidas de acção dirigidas para as crianças desde tenra idade e é, a prazo, a abordagem mais promissora. Trata-se de uma frente de acção que diz respeito ao sistema educativo, considerado sob o ponto de vista macroestrutural, e fundamentalmente às instituições de educação de infância e dos primeiros anos do ensino básico, bem como à sociedade no seu todo, designadamente às famílias e comunidades em que se inserem (Gorman-Smith e Tolan, 1998; Duncan, 1996; Gaspar, 2001).

A – Dimensões gerais da prevenção primária da indisciplina na escola

A escola, para além da sua função de transmissão de uma cultura-padrão às novas gerações (que na sociedade multiétnica em que vivemos se conjuga necessariamente com uma função de promoção do diálogo intercultural), contribui igualmente para o desenvolvimento da capacidade de intervenção política dos novos cidadãos, bem como de competências que lhe permitam tomar decisões e agir de forma mais fundamentada no seu quotidiano. Ela exerce ainda a sua influência, de uma forma ou de outra, sobre o desenvolvimento moral das novas gerações e sobre a aquisição de competências pessoais e sociais que concorrem para a construção da auto-imagem de cada cidadão e para o exercício dos diferentes papéis sociais que é chamado a desempenhar. Relativamente ao valor do respeito pela pessoa humana, nenhuma escola defende a violência, mas pouco se tem feito pela transmissão intencional e de algum modo sistemática dos valores da paz e da não-violência. Como afirma Ruth Charney (1993: 46), autora que defende um *curriculum para a literacia ética (ethical literacy)*, "é necessário ensinar as crianças a dar atenção e cuidados aos outros, bem como a saber receber atenção e cuidados. Isto é educação básica para a vida".

A partir da literatura específica identifica-se um conjunto de domínios que podem considerar-se centrais tanto para a prevenção da indisciplina como para a educação cívica em geral e da não-violência em particular (*cf.* Freire, 2001, pp. 27/43; Amado, 2000c, Veiga, 1999):

- Desenvolvimento *de competências de comunicação*, que permitam à criança e ao adolescente aprender a ouvir o outro e a aceitar e respeitar as opiniões diferentes da sua;
- *Educação para os valores,* que ajude a criança e o adolescente a clarificar os valores que orientam a sua vida, permitindo-lhe tomadas de decisão mais fundamentadas e maior capacidade para se autodeterminar (Raths, Harmin e Simon, 1978);
- Desenvolvimento de um *autoconceito positivo e realista*, para que a criança ou o adolescente de hoje venha a ser um adulto de bem consigo próprio e com os outros (Veiga, 1995; Caldeira, 2000; Marchago Salvador, 1991);
- Criação de oportunidades efectivas de *participação dos estudantes na vida escolar*, através da assunção de responsabilidades (de acordo com o seu nível etário), quer seja colaborando no desenvolvimento de projectos curriculares (que inclui o desenvolvimento do seu próprio projecto de aprendizagem num quadro de construção da autonomia e do sentido de responsabilidade) ou outros, quer intervindo em órgãos ou situações ligadas à gestão do quotidiano ou mesmo à gestão da própria instituição escolar (as-sembleias de turma, conselhos de turma, jornais de parede, diários de turma, órgãos de gestão). (Pérez Pérez, 1996);
- Criação de *condições ambientais* que facilitem o aparecimento de relações interpessoais positivas e o bem-estar de estudantes, professores e outros profissionais (Aquino, 2000).

B – O papel do professor na sala de aula

Existe todo um conjunto de estratégias e de práticas de ensino ao alcance do professor, que podem estimular nos alunos a vontade de aprender mais, assim como a boa comunicação interpessoal, a cooperação e a coesão do grupo-turma.

O trabalho cooperativo – A aprendizagem cooperativa está entre os métodos alternativos ao ensino tradicional mais exaustivamente avaliados nos seus resultados a nível académico, das relações pessoais, da integração de alunos com dificuldades especiais, da auto-estima e de outros aspectos. Em todos eles, os resultados são bastante positivos quando comparados com os obtidos num quadro do ensino tradicional. No que respeita às relações entre colegas, vários estudos concluem que a aprendizagem cooperativa se reflecte no desenvolvimento de relações mais amigáveis entre os companheiros, designadamente em grupos-turma com alunos de diferente origem étnica e com alunos com dificuldades especiais. Solomon *et al.* (1990, *apud* Slavin, 1991: 81) seguiram a implementação de aprendizagem cooperativa em grupos de crianças desde o jardim-de-infância ao 4.° ano de escolaridade e observaram que os estudantes que foram ensinados cooperativamente apresentavam níveis de apoio, de amizade e de comportamento pró-social para com os colegas significativamente mais elevados do que os dos grupos controlo; apresentavam igualmente melhor capacidade para resolver conflitos e exprimiam maior adesão aos valores democráticos.

Cowie e Sharp (1998: 84/85), baseadas nas suas investigações como participantes no Projecto Sheffield e noutras que se debruçaram sobre a ligação entre o trabalho cooperativo, as relações sociais e a aprendizagem, salientam:

- *relações sociais positivas criam um sentimento de auto-confiança e de aceitação que a criança isolada não pode experimentar;*
- *em grupos cooperativos, as criança acreditam que podem ser capazes de agir para resolver um problema, desenvolvem um sentido de controlo pessoal e de melhoria do seu poder pessoal (empowerment);*
- *as crianças tornam-se muito mais proficientes no desenvolvimento das suas próprias ideias e chegam a conclusões mais fundamentadas quando envolvidas em grupos de trabalho bem estruturados de uma forma cooperativa.*

O impacto do problema da vitimização da criança vulnerável pode também ser reduzido com a implementação de trabalho cooperativo, mesmo em condições muito difíceis, como acentuam estas autoras. Claro que de modo nenhum se trata de um trabalho fácil, uma vez que habitualmente as crianças e os adolescentes que gostam de agredir os outros não gostam de actividades cooperativas e tornam a sua realização muito difícil. Smith, Cowie e Berdondini (1994: 207) afirmam que a maior parte das crianças gosta do trabalho em grupo cooperativo, especialmente as raparigas; mas alguns rapazes, designadamente os rapazes rejeitados, não gostam. Estes rapazes rejeitados coincidem, muitas vezes, com agressores e com *vítimas/agressoras*. Embora muitos estudos estabeleçam esta associação entre crianças rejeitadas, agressão dos pares e aversão pelo trabalho cooperativo, é necessário estar alerta para o perigo de estabelecer rótulos. Os autores acabados de citar assinalam que nas suas pesquisas encontraram crianças agressivas para os seus pares, que manifestavam gosto e interesse pelo trabalho cooperativo; a sua dificuldade estava no desenvolvimento do próprio trabalho, não só porque eventualmente teriam dificuldade em passar as suas ideias à prática, como também os seus companheiros não gostavam de trabalhar com elas. O desafio para o professor será conseguir encontrar as melhores formas de proporcionar apoio e orientação ao grupo e a cada aluno em particular, de modo a ultrapassar essas dificuldades.

A definição de regras. O professor ao estabelecer de forma clara, com os alunos da sua turma, as regras básicas que vão ao encontro de valores como o respeito pelo outro e a solidariedade, ao utilizar oportuna e adequadamente o reforço de comportamentos desejáveis no momento certo, e finalmente ao usar, quando tal se justifique, as sanções consideradas apropriadas e justas, está a contribuir decisivamente para a prevenção de situações não desejáveis. O envolvimento da turma na definição de um conjunto limitado e consensual de regras claras, explícitas e funcionais resultará, certamente, numa melhor aceitação das mesmas. Por outro lado, é importante que o processo de definição de regras tenha não somente uma função de organização e gestão do bom funcionamento da turma, como uma função formativa. Neste sentido, a regra deve ser formulada de modo que o aluno facilmente perceba qual o comportamento esperado; o conjunto de regras estabelecido deverá igualmente ter um papel na orientação da criança ou do adolescente para determinados valores e não funcionar como um conjunto de interdições e nada mais; assim, as regras deverão estar enunciadas pela positiva (o que se espera que seja feito) e, no caso de se tratar de regras que muito frequentemente não são observadas (em particular com as crianças mais novas – jardim-de-infância e 1.° ciclo), então clarificar também o comportamento não desejado (Amado, 2000c).

Por exemplo, relativamente ao caso particular dos maus tratos entre iguais, aquando da definição do quadro normativo da turma, quando tal se justifique, os alunos deverão participar na clarificação de um pequeno conjunto de regras que visem especificamente o *bullying*, tanto directo como indirecto. Neste caso, Olweus propõe como ponto de partida as seguintes regras:

1. Não devemos maltratar qualquer dos nossos colegas.
2. Devemos tentar ajudar os colegas que são agredidos.
3. Devemos fazer os possíveis por incluir os colegas que facilmente se isolam.

Se a observância da primeira destas regras e das consequências à sua infracção pode ser um factor importante para a dissuasão dos agressores, as duas outras desempenham igualmente um papel central, na medida em que neste fenómeno o papel dos observadores (que são a maioria), é determinante.

Muitas vezes, tanto os que desaprovam como os que aprovam a violência, assumem um papel passivo. Daí que o objectivo principal do trabalho com os grupos em que se detecta agressividade entre colegas, é o de incrementar a coesão de todos os seus membros, associada a uma atitude activa de reprovação das condutas agressivas.

Este objectivo pode ser alcançado utilizando como estratégia a realização periódica e frequente (em princípio uma vez por semana) de *assembleias de turma*, onde sob a orientação do professor se discutem os problemas da turma (de agressividade ou outros) e se estabelecem planos de mudança (ver *in* Arends, 1995: 210/211, a importância do clima social nas assembleias, da identificação de problemas e de soluções para os ultrapassar, do compromisso, do acompanhamento e avaliação das mudanças).

Orientações para o funcionamento das assembleias

1. Cada asssembleia é dirigida por um presidente e um secretário, eleitos pela turma,
2. Os temas das assembleias resultam das suguestões dos membros da turma e constituem-se em ordem do dia.
3. Para intervir, cada membro levanta o braço e o secretário anota o seu nome; quando chegar a sua vez, ser-lhe-á dada a a palavra.
4. O secretário tomará nota das votações e do que fica aprovado.
5. O presidente poderá privar do uso da palavra um membro que desrespeite as normas da assembleia.
6. As normas aprovam-se por unidade e quando esta não existe pode realiza-se uma nova votação entre as opções maioritárias.

(Adaptado de Pérez Pérez, 1996: 203)

A ajuda e apoio aos alunos com dificuldades especiais. Para além das atitudes e competências sempre necessárias e dirigidas de uma forma indiferenciada em relação a toda a turma, há que identificar e aprofundar o conhecimento dos «factores de risco» que podem estar na base do comportamento perturbador de alguns alunos em especial. «Alunos-caso», quer pelas dificuldades particulares de integração escolar que apresentam, quer pelos «factores de risco» que lhe estão associados, não podem ser «tratados» pelo professor e pela escola, do mesmo modo que os restantes, no que estamos de acordo com Reid (1986: 48) «se alguns alunos têm problemas no desempenho, os professores devem atendê-los de modo especial», ou com Bell e Stefanich (1984) quando afirmam que «nada há de mais desigual que tratar de igual modo pessoas diferentes». A empatia, a relação de ajuda e a demonstração de respeito pelo aluno, são atitudes necessárias em relação a qualquer discente, mas constituem-se como estratégias fundamentais na relação com os que, habitualmente, são levados a agir «indisciplinadamente» de forma sistemática, ou estão «em risco» disso, ou ainda com aqueles que podem ser vítimas dos seus próprios colegas. O comportamento de uns e de outros deve ser lido como um sinal de que algo vai mal na vida particular ou na vida escolar destes alunos e é indispensável que os factores perturbadores sejam identificados e se ponham em marcha os factores de protecção.

C) – A acção a nível de escola

Para além da acção do professor na relação directa com os alunos, a escola considerada na sua globalidade desempenha igualmente um papel muitas vezes determinante na construção da disciplina e de relações interpessoais baseadas nos valores do respeito pela pessoa humana, da solidariedade e da democracia. Vimos já, na 2.ª parte, como a investigação demonstra, de forma consistente, a importância do clima ou *ethos* de escola; aqui iremos destacar a dimensão colectiva do desenvolvimento curricular e da construção das normas, além da ligação da escola com os pais.

A planificação do currículo a nível de escola. Como já referimos aquando da abordagem da acção do professor na turma, um aspecto muito relevante para a prevenção da indisciplina e a promoção do desenvolvimento pessoal e social é a abordagem curricular. O currículo, quer formal quer informal, é obviamente um potente veículo de transmissão e assimilação de comportamentos, atitudes e valores. A sua planificação, tanto a nível de escola como de turma, pode ter em conta não só a qualidade da educação no sentido de proporcionar um bom nível de aprendizagem a todos os alunos, como a prevenção e a resposta aos problemas a nível das relações interpessoais. *A diversidade pedagógica*, tanto na selecção de conteúdos e de desenvolvimento de competências, como na variedade de actividades e situações de aprendizagem, é crucial para o desenvolvimento de um ensino de qualidade, adequado à diversidade de necessidades educativas da população heterogénea que hoje em dia compõe as escolas e as turmas. Como vimos atrás, a promoção da aprendizagem cooperativa na aula é um aspecto fulcral na gestão do currículo para o desenvolvimento de competências pessoais e sociais e a promoção da não-violência. Mas, outras áreas do currículo têm sido utilizadas neste mesmo sentido, como por exemplo, o uso da ficção a partir de extractos de obras literárias que abordem o problema da agressividade entre crianças ou adolescentes ou ainda a representação de pequenas peças teatrais (Smith *et al*, 1998).

No nosso país algumas escolas têm desenvolvido projectos nos quais utilizam estes meios ou outros na formação pessoal e social dos estudantes, ainda que sem um processo de avaliação sistemática. Podemos aqui citar, por exemplo e porque acompanhámos de perto, o trabalho desenvolvido numa escola de Lisboa – a Escola Básica 2, 3 Pedro de Santarém, cujo Grupo de Teatro realizou no início do ano lectivo de 1998/1999 várias actividades (designadamente uma peça de teatro representada por estudantes), voltadas para a abordagem das relações interpessoais na escola, a disciplina e as "culturas juvenis". Este tipo de actividades são um modo de fazer passar à escola no seu conjunto, e aos novos alunos, professores e pais (com um particular impacto quando se realizam no início do ano) um conjunto de valores e de princípios que fazem parte da filosofia e do clima dominantes na escola, ajudando a criar uma cultura de escola caracterizada pela co-responsabilização e pelo respeito mútuo.

Os regulamentos. O modo como a escola na sua globalidade considera a disciplina, ou seja, a influência que os professores e os alunos atribuem às regras, o modo como os professores as aplicam e como os alunos percepcionam a aplicação de sanções à infracção das mesmas, constitui uma dimensão de carácter organizacional com grande relevância para a compreensão do ambiente disciplinar. Uma das formas de percepcionar as concepções de disciplina dominantes numa escola é a análise do seu regulamento. O estudo comparativo de um conjunto de regulamentos realizado por Afonso, Estevão e Vieira (1999: 45) chama atenção para a componente preferencialmente didáctica dos deveres dos alunos e para a inexistência de referências às relações entre pares; invocaremos, aqui, contudo, de forma mais detalhada um estudo australiano, de Lewis (1999), cujos resultados nos parecem bastante ricos para uma reflexão sobre a importância do dito e do não dito nos regulamentos escolares. O autor procedeu à análise dos regulamentos de 276 escolas, respectivamente dos ensinos primário e secundário, e observou que o *modelo de disciplina* subjacente à maior parte deles era o *Modelo de Disciplina Assertiva*. Este modelo baseia-se no desenvolvimento de regras claras para os estudantes e de um conjunto de recompensas e de punições, hierarquicamente estabelecidas, que os professores devem aplicar de forma consistente. A maior parte das escolas definia apenas consequências negativas (punições face ao comportamento não desejado) e muito poucas estabeleciam consequências, quer negativas (sanções), quer positivas (recompensas face ao comportamento desejado).

Somente uma pequena parte das escolas primárias e ainda um menor número de escolas secundárias incluíam acções disciplinares orientadas para o aluno (por exemplo, aconselhamento, estabelecimento de contratos) ou para o grupo-turma. Quanto à turma, nenhuma escola previa a realização de assembleias ou conselhos de turma para lidar com os problemas de disciplina de uma forma preventiva.

No caso particular das escolas em que as situações de violência (designadamente as de maus tratos entre iguais) são frequentes, a definição clara de um conjunto de regras de convivência entre alunos (dando um sinal inequívoco de que a violência não é permitida), a concomitante clarificação das consequências para aqueles que as infringem e a sua divulgação a toda a escola e também junto dos pais, são procedimentos cruciais para afrontar o problema, assumindo colectivamente uma atitude pró-activa. Para Tattum e Tattum (1997: 78) "este normativo deve começar por expressar positivamente os padrões de comportamento e as expectativas da escola, e então proceder à discriminação dos comportamentos não tolerados e das consequências para aqueles que persistentemente violem as regras". Este documento deve ser elaborado com a colaboração de professores e de alunos e ser divulgado junto dos pais para que também a sua colaboração e implicação no plano possa ser garantida.

A participação e envolvimento dos pais. Para além de todas estas medidas, também é de acentuar a importância de uma política de participação e envolvimento dos pais e dos professores. Uma cooperação forte entre a escola e a família é absolutamente desejável para que os problemas de indisciplina, em geral, e de agressão e de vitimização, em particular, sejam efectivamente afrontados. Essa cooperação pode ser conseguida a partir de reuniões com todos os pais dos alunos da escola ou de algum grupo em especial, ou/e através de encontros individuais entre pais e professores ou contactos telefónicos informais, mas igualmente através da participação dos pais nos órgãos de gestão, colaborando na concepção, desenvolvimento e avaliação do projecto de escola. Este aspecto do clima de escola constitui um excelente indicador da política de prevenção da escola. O modo como se processam os contactos da escola com a família e o tipo de relações que se estabelecem, espelham muito do que é uma escola e reflectem-se, por sua vez, na própria participação da família. Também a este respeito o trabalho de Freire (2001), apresenta algumas pistas de reflexão, uma vez que nas duas escolas-caso estudadas a participação dos pais e encarregados de educação (em reuniões com o director de turma, em contactos individuais, em eventos colectivos) era bastante mais frequente na escola da Quinta dos Álamos do que na da Malva-rosa. No Quadro 4.1 apresentam-se alguns aspectos que distinguiam as duas escolas no que diz respeito à ligação escola-família.

QUADRO 4.1 – *Ligação escola-família*

Escola da Quinta dos Álamos **(mais participação da família na escola)**	***Escola da Malva-rosa*** **(menos participação da família na escola)**
• Participação dos pais e encarregados de educação bastante ligada ao **acompanhamento "natural" da vida escolar dos filhos/educandos** e à participação imediata na resolução de problemas dos seus educandos (disciplinares ou outros).	• **Participação bastante formal**, decorrente de convocatórias, ou baseada na prestação de serviços à escola.
• **Boas relações humanas** entre a escola e a família.	• Relações humanas baseadas na existência de **relações de poder** e de contestação dos pais às decisões da escola, concomitantes com a **ausência de influência** de outros pais sobre a escola.
Bastante valorizada a efectiva ligação da escola à família, o que transparece particularmente na ênfase dada à **função de estimulação**[25] dos professores no seu contacto com as famílias e numa certa desvalorização da função burocrática.	Valorização da **função burocrática**[26] da escola (dos professores) na ligação escola-família.

(A partir de Freire, 2001)

[25] A função de estimulação corresponde aos mais diversos meios dos professores despertarem os pais/encarregados de educação para o contacto e a participação na vida escolar dos seus filhos.

[26] A função burocrática corresponde às acções dos professores que visam o cumprimento de regulamentos e dispositivos legais, por si próprio ou por parte da família.

Quando se trata do desenvolvimento de qualquer projecto ou plano de acção específico, baseado no diagnóstico de problemas no campo disciplinar, a informação aos pais e o apelo à sua participação são fundamentais para o seu sucesso. Foster *et al.* (1990: 15) relatam alguns dos meios que utilizaram no sentido de encorajar uma maior participação dos pais para o combate ao problema dos maus-tratos entre iguais. No projecto de intervenção que desenvolveram dedicaram uma atenção muito especial ao primeiro contacto dos pais dos alunos que acabavam de entrar pela primeira vez na escola. Em vez das habituais assembleias de pais em que o director da escola é a figura central durante toda a assembleia, organizaram grupos de pais para uma discussão estruturada do problema dos maus-tratos entre companheiros. Estes grupos eram constituídos por um número máximo de 10 pessoas (pais e um membro do grupo interessado na intervenção face ao problema).

D – Iniciativas de prevenção de maus-tratos e agressividade entre alunos

A promoção da amizade e da entreajuda. Helen Cowie num artigo denominado *"la ayuda entre iguales"* (1998) analisa os diferentes tipos de ajuda entre colegas que podem ser promovidos nas escolas, em função das idades dos alunos e dos próprios contextos escolares.

As diversas formas de entreajuda vão desde aquelas que têm um carácter mais preventivo a outras que poderemos denominar de intervenção precoce. As primeiras podem desenvolver-se no seio de planos de ajuda nos quais alguns alunos (mais velhos ou da mesma idade) promovem, por exemplo, actividades em clubes, ou ajudam os alunos mais vulneráveis no recreio ou nas filas do refeitório, por exemplo, ou a nível de turma ajudam os colegas com mais dificuldades, até ao desempenho do papel de mediadores de conflitos, já numa perspectiva mais de intervenção precoce. Para Cowie, "independentemente da forma concreta que adoptem os programas de ajuda, o objectivo será que as crianças e os jovens participantes ofereçam apoio emocional e amizade aos companheiros que estão em situação de risco" (p. 67). Um programa desta natureza não se afasta, no fundamental, das actividades espontâneas de amizade que ocorrem de forma natural, mas exige alguma preparação dos alunos participantes, através de um processo de desenvolvimento de competências pessoais e sociais e de atitudes como, escuta activa, empatia, resolução de problemas e capacidade de prestar apoio ao outro (ver, por exemplo, o modelo de Gordon, 1974). A promoção de um ambiente amistoso entre alunos é extraordinariamente importante para o clima da escola em geral e, em particular, para a prevenção de situações de agressividade e de maus-tratos entre colegas. Os estudos sobre a relação entre as respostas à agressão e subsequente vitimização, conduzidos designadamente por Kochenderfer e Ladd (1997: 70), através de *follow-up* com crianças no jardim-de-infância, sugerem que a **melhor estratégia** para responder ao *bullying* é **ter apoio de um amigo**, o que confirma os resultados de outras investigações. A escola, designadamente nos primeiros anos de escolaridade e mesmo desde o jardim-de-infância, pode desempenhar um importante papel neste domínio, proporcionando às crianças e aos adolescentes um clima social que seja propiciador de relações sociais amistosas.

Um clima de escola que seja terreno fértil para o encorajamento da participação colaborativa dos alunos é fundamental e isso inscreve-se numa política geral de escola. Recorrendo a investigações sobre "sistemas de apoio entre companheiros como meio de promover os valores pró-sociais e de contrariar a conduta agressiva e anti–social dentro do grupo de pares", realizadas em escolas do Reino Unido, Canadá, Austrália e Nova Zelândia, Cowie (1998: 68) conclui que "os resultados destas investigações indicam que os sistemas de apoio entre companheiros que se desenvolveram melhor decorreram nos contextos educativos em que já se tinha estabelecido o método de trabalho cooperativo (na sala de aula)".

Cowie e Sharp (1998: 90/95) exploraram, nalgumas escolas do Projecto Shefield, uma outra linha de participação dos alunos, designada por método dos *"Círculos de Qualidade"*. Consiste na organização de pequenos grupos (cerca de cinco ou seis pessoas cada), cujos membros se encontram regularmente (em geral uma vez por semana) e são treinados no método da resolução de problemas, no sentido de saberem identificar problemas, analisá-los, equacionar soluções e apresentar essas soluções aos órgãos de gestão da escola. Os membros *dos círculos de qualidade*, para além de adquirirem competências que lhes permitem funcionar dentro de um clima democrático em que as pessoas podem trabalhar construtivamente para o bem comum, numa atmosfera de confiança, podem ainda adquirir outras competências que lhes servem para outras áreas curriculares. Aprendem a realizar pequenas pesquisas, utilizando *surveys*, entrevistas, questionários e, porventura, observação sistemática, que podem estar enquadradas na abordagem de uma disciplina singular (Língua Portuguesa, Matemática, Ciências Sociais...) ou numa abordagem transdisciplinar.

O telefone "amigo". A criança (ou o adolescente) vítima de maus-tratos por parte dos seus colegas é tímida e insegura e, por isso mesmo, teme as consequências da sua denúncia da situação junto dos adultos. Muitas vezes sofre em silêncio durante muito tempo, pelo que se torna crucial a criação de meios que lhe permitam obter ajuda sem receio de represálias. Um dos meios, testado nalguns países, é a criação quando tal se justifique, numa escola ou num agrupamento de escolas, de um contacto telefónico para alunos e pais, a funcionar durante um período determinado da semana, e cujo atendimento pode estar a cargo do psicólogo ou orientador escolar ou de um professor interessado e preparado no âmbito deste problema. A divulgação destes contactos telefónicos, através dos meios de comunicação social locais, a informação directa aos estudantes e o envio de cartas aos pais, é fundamental para o sucesso deste tipo de acção.

A intervenção no recreio. A maior parte das situações de *bullying* ocorrem nos *pátios de recreio,* especialmente nas escolas do 1.° ciclo. Nas escolas com alta incidência de *bullying* tende a observar-se a presença de crianças infelizes e isoladas nas horas de recreio (Whitney e Smith,1998: 23). A importância do ambiente vivido nos recreios leva a que alguns projectos de intervenção tenham privilegiado estes espaços.

Na maior parte das escolas existe o que poderemos chamar de falta de **supervisão** no recreio por parte dos adultos. Muitas vezes, apenas os auxiliares de educação a fazem e estes quase sempre são em número insuficiente para o desempenho de tais funções. A acrescentar a este quadro, todos sabemos que não é proporcionado a estes profissionais qualquer formação específica e continuada e, muitas vezes, a falta do apoio necessário ao desempenho das suas funções ligadas à gestão do comportamento é também uma realidade. Para além da supervisão nos recreios, um outro aspecto relevante a ter em conta para um plano de intervenção neste domínio é *o equipamento* de que as crianças de uma determinada escola dispõem nas suas actividades de recreio.

Quanto ao equipamento, diremos que se trata de um domínio merecedor de bastante ponderação. Nas escolas do Projecto Sheffield em que se realizou intervenção no recreio, começou-se por proporcionar às crianças mais equipamento para jogos que facilitassem o envolvimento em actividades cooperativas, o que só por si se revelou um fracasso. Para Boulton (1998: 136) "providenciar simplesmente equipamento é um erro, primeiro é necessário encontrar estratégias para pôr o equipamento a funcionar (supervisores, professores interessados, etc.)". Doutro modo, o próprio equipamento pode mesmo constituir um elemento desencadeador do aumento de situações de *bullying*. Cath Higgins (1998: 190), a partir das avaliações que realizou de projectos de intervenção nesta área, também concluiu que "levar a cabo melhorias no ambiente físico sem formação dos supervisores pode resultar num aumento de tensão devido às dificuldades de supervisão". Neste particular uma pesquisa conduzida em Portugal contraria estas observações inglesas. Marques (2001) na observação que realizou numa escola do 1.° ciclo facultando às crianças experiências em 4 tipos de recreio ("vazio", "com supervisão", "com materiais" e "com supervisão e materiais") verificou que mesmo a singular introdução de materiais fez baixar a percentagem de vítimas, se bem que o efeito da introdução simultânea de supervisores no recreio e de materiais se tenha revelado mais positivo.

Apesar de tudo, é sempre necessário ponderar as vantagens e desvantagens de proporcionar actividades estruturadas para manter as crianças ocupadas no recreio. Este deve ser um espaço de construção de liberdade e de autonomia, no qual as crianças podem beneficiar do facto de se envolverem em brincadeiras colectivas na ausência de uma orientação próxima do adulto. Os jogos no recreio podem também proporcionar à criança a oportunidade de por ela própria aprender a lidar com várias formas de conflito e de se proteger de eventuais intimidações dos seus companheiros. Mas, uma exagerada falta de supervisão pode aumentar fortemente a vulnerabilidade das crianças mais frágeis e as oportunidades dos agressores. É, portanto, necessário ponderar soluções de compromisso entre uma intervenção excessiva do adulto (que pode interferir com os benefícios de um verdadeiro jogo livre) e uma escassa intervenção (que pode não actuar no sentido de ajudar a reduzir o *bullying* e as brigas, deixando os mais vulneráveis entregues *à sua sorte*).

Todos sabemos como se têm vindo a perder os espaços, o tempo e as oportunidades fora da escola em que as crianças tradicionalmente brincavam em liberdade; essas oportunidades estão bastante confinadas à escola e qualquer intervenção neste domínio deve tomar esta nova realidade em linha de conta.

Quanto à *falta de formação e apoio aos auxiliares de educação* que fazem a supervisão dos recreios é preciso considerar, por um lado, a necessidade da formação contribuir para o desenvolvimento de competências de comunicação interpessoal e de observação e gestão do comportamento das crianças no recreio e, por outro, contribuir para a elevação do seu estatuto social e profissional face aos estudantes e aos outros profissionais da escola. Formação que proporcione o desenvolvimento da capacidade de detectar precocemente se a criança está ou não a comportar-se agressivamente, ou seja, ser capaz de distinguir maus-tratos entre iguais e jogo rude (brincadeiras mais agressivas). O supervisor deverá ainda saber identificar os locais do recreio onde é mais provável ocorrer *bullying* na escola onde trabalha, estar especialmente atento às crianças que andam sozinhas, tornar sistematicamente claro aos alunos, e de forma consistente, quais são os comportamentos que não são tolerados e ter uma atitude de encorajamento dos comportamentos socialmente positivos.

Trabalhar no sentido de uma efectiva *melhoria da qualidade do recreio da escola*, requer não só uma melhor oferta de equipamento e de um aumento na qualidade da supervisão, mas também uma boa planificação da utilização dos próprios espaços e arranjo dos mesmos, dedicando um cuidado especial à qualidade dos tempos de recreio nos dias de chuva. Nestes dias colocam-se mais problemas uma vez que os alunos se vêem forçados a permanecer dentro do edifício (Pereira, 2002: 160). Como experimentou no seu trabalho de investigação-acção esta autora, a criação de uma ludoteca e de um espaço de informática, atractivos para os alunos e organizados de forma responsabilizadora, constituem boas soluções.

Em muitas das nossas escolas existe pouca atenção a estes aspectos da vida escolar. Muito trabalho está por fazer. Ferreira e Pereira (2001) publicaram o resultado da avaliação que realizaram de uma intervenção no recreio de uma escola, onde, no dizer das autoras, "com cordas, bolas, elásticos e arcos, apenas, transforma-se o recreio num local mais divertido e de menos agressão e constrangimento para as crianças vítimas dos seus colegas" (p. 246). O mais importante é que cada escola e os seus órgãos de gestão em particular, estejam atentos e façam o diagnóstico das suas necessidades e com empenhamento e determinação valorizem o recreio como espaço de educação, para que este deixe de ser o "local de ninguém" e de "acerto de contas" (Pereira, 2002: 191).

Dar as mãos na prevenção do bullying. A prevenção e o combate ao *bullying* exigem um trabalho continuado e a prazo. Da parte da escola exige não só um diagnóstico criterioso da situação, mas também um plano que assente nos problemas diagnosticados e que promova a participação. Mais do que isso, é preciso que este trabalho se continue no tempo, por isso Olweus propõe a criação de *grupos de professores* para o desenvolvimento do ambiente social da escola, bem como de círculos de pais, que podem ser boas estratégias para manter a atenção sobre este problema, como sobre outros (como sejam, outros tipos de problemas de disciplina, problemas de comunicação entre pais e escola, problemas gerais de ensino, vandalismo exercido do exterior da escola, etc.).

Tattum e Tattum (1997) no artigo intitulado "Bullying: A Whole School Response", apontam um conjunto de razões que fundamentam a abordagem, considerando a escola na sua globalidade, do problema dos maus-tratos entre iguais e das relações interpessoais problemáticas em geral. Porque tal sistematização se baseia nos resultados da investigação realizada neste domínio e, porque ela própria nos parece significativamente elucidativa, apresentamo-la de forma sintetizada:

- Contrariar a perspectiva de que os maus-tratos entre iguais é um aspecto inevitável na escola. Todos os alunos têm o direito de aprender num ambiente seguro e sem medo. Qualquer escola, enquanto instituição, tem o dever de desencorajar o comportamento agressivo a todos os níveis (na relação professor-aluno, como nas outras).
- Abandonar a perspectiva de gestão da crise. A simples reacção aos casos críticos gera uma fraca consciência do problema, enquanto uma discussão das situações e uma acção continuada permite que a escola progressivamente caminhe para um *ethos* mais preventivo[27].
- Alargar a discussão a todos os níveis. A discussão alargada do problema acaba com a perspectiva de que o *bullying* só afecta poucos

[27] Delwyn Tattum (1989) apresenta as três perspectivas alternativas de abordagem do que chama comportamento disruptivo: – *"a perspectiva de gestão da crise; as perspectivas intervencionistas e as perspectivas preventivas a nível de escola"*.

alunos, a qual leva a que as vítimas e aqueles que testemunham maus-tratos entre colegas não os denunciem e encoraja o agressor a continuar, porque o seu comportamento não é condenado.

- Envolver mais pessoas na identificação e condenação do problema dos maus tratos entre iguais. Algumas investigações detectaram que nas escolas com baixa incidência de *bullying* os professores expressavam perspectivas articuladas de abordagem do mesmo e enfatizavam a necessidade de prevenção, o que era menos evidente nas escolas com alta incidência.
- Equacionar um conjunto de procedimentos consistentes, para professores, auxiliares de educação e órgãos dirigentes da escola seguirem quando se detecta um caso de *bullying*. A existência de um acordo à volta das regras e das consequências às suas infracções, fruto de uma reflexão e tomadas de decisão numa atmosfera calma, evita tomadas de decisão imponderadas face a incidentes difíceis e não previstos.
- Criar um clima de segurança e quebrar códigos de secretismo. Quando os maus-tratos entre colegas são relatados por alunos ou pais, isso deve ser tomado muito a sério e actuar-se de modo a desencorajar o agressor, sem humilhar e expor a vítima a maiores perigos.
- Proporcionar um ambiente de aprendizagem seguro a todos os alunos. Os alunos não podem desenvolver satisfatoriamente o seu trabalho se estão sobrecarregados com ansiedade, humilhação e medo.

Parece ser hoje inquestionável a importância da escola na prevenção e combate a esta forma de violência que é o problema dos maus-tratos entre iguais. Dan Olweus, com a autoridade que lhe confere o seu extenso e longo trabalho afirma a determinada altura "nalgumas escolas o risco de ser maltratado por colegas é 4 ou 5 vezes maior do que noutras, dentro de uma mesma comunidade". Para o autor, "as atitudes, rotinas e comportamentos do pessoal da escola, particularmente dos professores, são factores decisivos na prevenção e controlo do *bullying* (...), mas também as atitudes e comportamentos dos próprios alunos e dos seus pais (...) (p. 46).

4.2. *PREVENÇÃO SECUNDÁRIA*

A abordagem do conceito de prevenção secundária (ou **intervenção precoce**) que aqui fazemos tem um sentido mais abrangente do que lhe dão os autores cujo interesse principal é a problemática da violência na escola. O nosso *enfoque* não se restringe aos aspectos de carácter individual e, por isso, encaramos como processos de intervenção precoce todo o conjunto de acções do professor na turma ou da escola em geral (em articulação com a família) que constituem respostas correctivas e formativas aos comportamentos e atitudes perturbadores do bom funcionamento do grupo ou da organização. Alguns autores têm uma perspectiva de intervenção precoce, cujo foco são os alunos que se enquadram no conceito de criança ou de adolescente em risco (Brendtro e Long, 1995) (ver caixa mais adiante) sem, contudo, deixarem de considerar uma intervenção de carácter multidimensional.

A – Acção correctiva do professor face à indisciplina

Segundo Estrela (1986), a disciplinação corresponde a "um conjunto de processos que conduzem à criação de disciplina, compreendendo esta quer uma forma exterior de ordem, quer uma forma interiorizada de aceitação da regra". Se bem que "todo o processo educativo seja inseparável de uma acção disciplinar", podemos considerar aqueles aspectos do mesmo que visam de forma mais directa a criação da disciplina. Para esta autora a disciplinação em sala de aula compreende essencialmente processos quer de inculcação, quer de correcção, sendo a "inculcação da regra um aspecto particular do processo geral de inculcação levado a cabo pela escola e seu aparelho ideológico", enquanto a correcção corresponde às "acções que têm como primeiro objectivo o restabelecimento da regra violada pelo comportamento desviante" (pp. 331/332 e seguintes).

A análise das perspectivas dos professores acerca destes processos de disciplinação parece evidenciar que a principal finalidade subjacente aos mesmos constitui o que os professores designam de "controlo sobre a situação ou o comportamento do aluno" (Freire, 2001: 166). O estudo dos procedimentos de disciplinação dos professores constitui um domínio de difícil análise, dada a importância das interpretações dos protagonistas das situações. Tal como as concepções de disciplina e de indisciplina são sempre relativas a um determinado contexto, também a interpretação dos procedimentos de disciplinação depende das finalidades e dos significados que lhes atribui quem os aplica, bem como das leituras e interpretações tanto daqueles que a eles estão sujeitos, como daqueles que os observam directa ou indirectamente (grupo-turma, pais, etc.). Por outras palavras, o que em determinados contextos pode ser visto como um estímulo à mudança de comportamento noutros pode ser visto como um castigo (por exemplo, o professor mudar o aluno de lugar). Depende de muitos factores, ou seja, depende do modo como o professor o faz, depende da personalidade do aluno e da representação que tem do professor, depende das práticas habituais naquele contexto escolar, depende da reacção do grupo-turma, depende da interacção entre todos estes factores e não só. As formas dos professores lidarem com os problemas de disciplina tradicionalmente assentam na posição de autoridade que detém no grupo. A teoria da modificação do comportamento e a teoria cognitivista têm sido os principais fundamentos da sua análise.

A *teoria de modificação do comportamento* concentra-se no comportamento observável das pessoas, no contexto e nas consequências das suas acções, considerando os seguintes princípios teóricos (cf. Fontana, 1987: 66/67):

- "o comportamento observável pode ser descrito em termos objectivos";
- *"o comportamento aprende-se"*, ou seja, se o comportamento de uma pessoa não é aceitável pode ajudar-se a pessoa a desenvolver comportamentos apropriados;
- *"a lei do efeito"* – a aprendizagem é baseada em processos de condicionamento operante, ou seja, o comportamento que é recompensado tende a ser repetido, enquanto que o comportamento que não recebe recompensas tende a ser eliminado;
- *"mudanças de contingências"*, ou seja, o processo de modificação de um comportamento não desejado para um comportamento desejado implica uma mudança no modo como a pessoa é recompensada ou não nas suas acções.

Na *perspectiva cognitivista*, pelo contrário, o foco de interesse são as razões subjacentes ao comportamento, designadamente o sentido que a pessoa atribui ao meio em que funciona. Em contexto educativo e nesta perspectiva, é fulcral compreender o que o aluno pensa acerca do seu comportamento e do comportamento do professor, e compreender o que o professor pensa do comportamento do aluno e do seu próprio. Ligada a esta abordagem do controlo do comportamento está toda uma vasta terminologia na qual tomam particular destaque expressões como *locus de controlo* (externo e interno), auto-observação, autoconceito, autoestima, empatia, consciência de si, autenticidade, responsabilidade (Fontana, 1987: 101/123). Esta última perspectiva, na qual se baseiam modelos de intervenção como os de Thomas Gordon e de William Glasser, e à qual está associada uma visão personalista e humanista da educação, tem ganho cada vez maior importância.

Estas duas perspectivas teóricas, sendo distintas no modo como concebem o papel do sujeito e do meio, podem ser e são utilizadas em complementaridade tanto na abordagem quotidiana aos problemas de disciplina como na sua investigação. Esta complementaridade no domínio da acção está bem patente, por exemplo, no modelo eclético de intervenção disciplinar de Bell e Stefanich (1984), que estabelece a definição de regras e de consequências, propõe que os alunos participem quer em processos de reflexão, através da análise de situações e do seu próprio comportamento, quer na resolução de problemas, e acentua a importância da construção da autodisciplina e do autoconhecimento, tanto por parte do aluno como do professor, sem deixar de prever a utilização de contratos comportamentais nos casos (turmas ou alunos) em que percorrendo cuidadosamente todos os "patamares da cascata", (ou seja, os níveis sucessivos de prevenção e de intervenção precoce), não se consegue obter resultados.

B – Mediação de conflitos.

A eliminação da violência e a promoção de relações interpessoais positivas não significa a eliminação do conflito. O importante é que na escola, professores, auxiliares de educação e alunos estejam preparados para enfrentar positivamente os conflitos interpessoais do seu quotidiano, de modo a impedir que aqueles resultem em situações de agressividade e mesmo de violência.

Alguns conflitos, quer pessoais, quer interpessoais têm resultados muito positivos: aumentam o rendimento escolar, a motivação para aprender, o desenvolvimento cognitivo em geral e podem ser enriquecedores das relações interpessoais, da construção da identidade pessoal, do desenvolvimento do poder pessoal e promover a capacidade de ser flexível face à adversidade.

O problema não está no conflito em si, mas na sua má gestão. Como dizem Johnson & Johnson (1995), a tendência para reprimir, suprimir ou ignorar os conflitos pode, de facto, ser um contributo importante para a ocorrência de relações interpessoais tensas e difíceis e mesmo de agressividade e violência nas escolas.

Conflitos e abuso de poder

Muitas vezes confunde-se agressividade ou violência com conflito. Contudo, como diz Ortega Ruiz (1998:46) "conflito é uma situação de diferença de critério, de interesses ou de posição pessoal face a uma situação que afecta mais do que um indivíduo. Quando as pessoas têm um estatuto social semelhante e capacidade para se enfrentrem na dita situação, estão em condições de afrontar conflitos e de resolvê-los criativamente". Pelo contrário, as situações de violência implicam necessariamente um abuso de poder, que tem subjacente a utilização de forma prepotente de uma posição de privilégio no quadro de uma realção de poder assimétrica e que põem em causa dis direitos daqueles que são vitimados.

(A partir de Freire, 2001)

Para além das preocupações que qualquer escola tem com a prevenção da agressividade e da violência e das medidas de acção, desenvolvendo práticas no seu quotidiano que contribuam para a formação de cidadãos que partilhem os valores da democracia, da paz e da não-violência, torna-se igualmente relevante um investimento em medidas que visem a resolução de conflitos, que envolvam a escola na sua globalidade.

Uma prática bastante utilizada e investigada com alguma sistematicidade, principalmente nos E.U.A., é a formação de alunos para o desempenho do papel de "mediadores de conflitos". A "mediação de conflitos através dos pares é um método para a resolução pacífica de conflitos entre estudantes, ou seja, sem coerção", nas palavras de Cangelosi (1997: 69). O treino de alunos voluntários para mediadores de conflitos tem sido utilizado com sucesso em diversos programas (Schrumpf *et al.*, 1991; Lee Canter e Associates, 1994; Johnson e Johnson, 1991, 1994, *apud* Cangelosi, 1997).

A formação para a mediação em contexto educativo tem obviamente uma função preventiva primária[28], mas dela resulta também um aumento da capacidade de intervenção precoce face aos conflitos dos quais possam resultar situações de agressividade e mesmo de violência (Gaspar, 2006).

No que respeita à preparação dos alunos para o desempenho do papel de mediadores de conflitos, para Schumpf *et al.* (*apud* Cangelosi, 1997: 69) é necessário que os alunos "aprendam a ser imparciais, respeitadores e ouvintes empáticos e que conduzam os colegas em conflito através dos seguintes estádios das sessões de mediação: (1) criar um bom clima para a sessão de mediação e estabelecer protocolos (tais como, chamar o outro pelo nome ou não interromper o outro); (2) recolher informação; (3) focar o diálogo em interesses comuns; (4) estabelecer opções; (5) avaliar opções e escolher soluções (6) redigir o acordo e encerrar a sessão". Habitualmente os participantes acordam em manter as sessões confidenciais. Nos programas desenvolvidos por esta equipa, um membro da escola preparado para o efeito ou um membro de uma equipa de investigação fazia observação distanciada da sessão e no final dava *feedback* ao mediador. Este tipo de projectos exige uma estreita colaboração entre a escola e uma instituição de investigação e formação.

A extensão que deve assumir um programa de formação para mediadores de conflitos numa escola é uma questão relevante. Johnson e Johnson (1995) conceberam um programa de formação de mediadores de pares

---

[28] Como vimos anteriormente, esta abordagem pode estar intimamente ligada ao desenvolvimento do trabalho cooperativo e das competências que lhe são inerentes, designadamente a da resolução de problemas; neste contexto quer o professor, quer algum dos membros do grupo de alunos podem funcionar como mediadores; a mediação de conflitos pode ainda ser abordada quer através de situações construídas de *role-playing* ou da ficção literária.

(em espiral, para 12 anos) para o conjunto da população de uma escola, o qual designaram por *"Teaching Students to Be Peacemakers Program";* em cada ano de escolaridade, os estudantes aprendiam procedimentos cada vez mais sofisticados de negociação e mediação de conflitos. Os resultados obtidos com estes programas, em escolas urbanas e suburbanas, foram muito positivos. Segundo Johnson e Johnson (1995: 67): "antes da formação, na maior parte dos conflitos diários, os estudantes usavam estratégias destrutivas, que tendiam a provocar a escalada do conflito, apresentavam a maior parte dos conflitos ao professor e não sabiam como negociar. Depois da formação, os estudantes conseguiam socorrer-se de procedimentos de negociação e de mediação para gerir situações de conflito e não os transferiam para as situações de aula e outras situações escolares, nem para as situações de recreio, de refeitório ou para casa. Mais ainda, eles mantinham o seu conhecimento e competências apreendidas sobre o assunto ao longo do ano de observação. (...) Depois da formação, continuam os autores, os estudantes geralmente gerem os seus conflitos sem envolvimento dos adultos. A frequência com que os professores geriam conflitos entre alunos desceu 80% e o número de conflitos participados ao director foram reduzidos em 95%. Tão drástica redução de participação de conflitos aos adultos mudou o programa de disciplina da escola, da arbitragem de conflitos para a manutenção e apoio ao processo de mediação de pares".

Em Portugal, existem algumas experiências neste sentido, desenvolvidas pelo agora extinto Instituto de Inovação Educacional em colaboração com algumas escolas de Territórios Educativos de Intervenção Prioritária (TEIP), se bem que tanto quanto sabemos a maior parte foram experiências inconsequentes. A excepção foi a o projecto de mediação de pares do Agrupamento de Escolas da Benedita (Ferreira, 2002) e o projecto de investigação-acção desenvolvido por Gaspar (2006) numa escola na zona de Sintra. Contudo, não podemos negligenciar que existem crianças e adolescentes que desempenham o papel de mediadores de conflitos, de uma forma informal, como demonstra o estudo realizado por Domingues (2006) numa escola do ensino básico, no qual traça o perfil dos alunos-mediadores na perspectiva dos seus colegas. Seria muito importante para um melhor conhecimento da realidade portuguesa que todas as experiências fossem acompanhadas e investigadas e que os seus resultados fossem divulgados para uma melhor disseminação destes processos.

Criança ou adolescente em risco

O conceito de criança ou adolescente em risco é bastante nebuloso, uma vez que, crianças e adolescentes diferentes podem reagir de modo diferente, perante os mesmos factores de *stress*. Há crianças e adolescentes que mesmo face a situações fortemente constrangedoras reagem positivamente, sem que estas afectem quer o seu sucesso académico, quer o seu comportamento social e escolar. A situação de risco resulta da combinação entre factores ambientais e características individuais. Para Short *et al.* (1994: 74) *"crianças e jovens consideradas em risco são aquelas que aparentemente terão insucesso académico e social se não tiverem apoio e intervenções suplementares"*. Os indicadores que podem ajudar a identificar uma criança ou adolescente em risco são múltiplos, desde a falta de sucesso académico ou ausência de determinadas competências básicas para a aprendizagem, ao absentismo irregular ou excessivo, aos problemas disciplinares persistentes, a um percurso de vida de grande mobilidade geográfica, à pobreza, à vivência de situações de abuso ou de negligência, ao uso de substâncias aditivas, ao facto de ser pai ou mãe adolescente, de viver numa família disfuncional, de ter vivido problemas de discriminação racial ou cultural, de sofrer de persistentes problemas de saúde, ou mesmo não participar de forma sistemática nas actividades escolares. No caso particular do comportamento agressivo na escola, alunos-vítimas e alunos-agressores podem incluir-se no grupo das **crianças ou adolescentes em risco,** no caso de uns ou de outros apresentarem, de uma forma sistemática, comportamentos de risco. O problema da criança ou adolescente em risco é extremamente complexo e, por isso, deve merecer da parte da escola (designadamente no que respeita às questões da disciplina) preocupações muito particulares. Na prática, aos educadores coloca-se a questão de identificar bem as crianças e os adolescentes em risco efectivo (com base numa observação cuidadosa e rigorosa), concomitantemente perceber que os factores de risco não são estáticos e a situação de risco não é imutável. A intervenção deve conduzir à eliminação do estatuto de criança ou adolescente em risco. O diagnóstico assentará não somente na identificação dos factores de risco, mas também nos factores de protecção, que sempre existem no quotidiano de cada criança ou adolescente, ultrapassando preconceitos dominantes como o da associação do risco unicamente a famílias desfavorecidas sob o ponto de visto sócio-económico.

(A partir de Freire, 2001)

Nalguns países, designadamente no Reino Unido e nos EUA, ainda no que respeita à participação dos estudantes, têm sido desenvolvidos programas de *tutoria de crianças e de adolescentes* em risco, nos quais por vezes os tutores são adolescentes ou jovens que também já foram agressivos (Schneider, *apud* Cangelosi, 1997: 65). Em outros programas são equipas de adultos que desempenham esse papel. Também o trabalho de treino e de tutoria junto dos pais pode resultar na *"quebra de ciclos de coerção e no encorajamento de interacções pais-filhos saudáveis"* (Cangelosi, 1997: 65); este é, porém um campo de intervenção que está fora do âmbito da escola, mas do qual a escola e a sociedade em geral, podem colher bons frutos, se entidades da comunidade local se empenharem na sua realização.

C – Acção directa do professor na turma face à situação particular dos mau- tratos entre iguais

A maior parte dos alunos não está directamente envolvida em situações de maus- tratos entre pares, contudo há evidências de que, ao contrário dos seus professores, um número substancial de alunos é muitas vezes testemunha dessas situações. A maioria dos alunos-observadores revela preocupação com o *bullying*, mas alguns deles contribuem negativamente para a situação ou dão mesmo um encorajamento activo (Foster, P. *et al.*, 1990). A este propósito, Herbert (1989, cit. por Boulton, M., 1998; 144) afirma: "o factor mais importante no combate ao *bullying* talvez seja a pressão social do grupo de pares; mais do que a condenação dos agressores por qualquer adulto com autoridade, individualmente".

A autora espanhola Cerezo Ramírez (1999: 170) destaca o papel da dinâmica da turma como *"mediadora na redução das condutas agressiva"* e propõe um programa que se desenvolve a partir de três momentos fundamentais:

- Primeiro: analisar o grupo dos alunos, através de algum instrumento que permita perceber as relações interpessoais que se estabelecem na turma e detectar os possíveis alunos implicadosem relações agressor-vítima, como por exemplo, o questionário BULL, a análise sociométrica da turma, um instrumento de observação que revele as fontes de auto-estima dos alunos da turma, etc.. A partir dos resultados obtidos estudar a turma em profundidade.

- Segundo: com base no diagnóstico da turma sob o ponto de vista da sua dinâmica social, passar-se-á à elaboração de um plano de trabalho específico para vítimas e outro para agressores, em articulação com um trabalho conjunto na turma.
- Terceiro: simultaneamente desenvolver um plano de trabalho para o grupo-turma.

A acção directa do professor é também decisiva; uma vez que ele é o líder natural do grupo e guia os diferentes processos de participação. A criação de um clima positivo, estimulante e amigável é uma base importante para o desenvolvimento de todo um trabalho de intervenção precoce face a situações de agressão/vitimação. Como diz Olweus (2000: 85) "é mais fácil para um estudante aceitar uma crítica a um comportamento não desejado e tentar modificar-se, na condição de se sentir apreciado e relativamente bem-amado", e isto é especialmente verdade para os alunos agressivos, aos quais na maior parte dos casos escasseiam as relações de afecto. Uma relação de confiança e de valorização pessoal torna-se facilitadora da aplicação de um processo de aprendizagem de regras, o qual é fundamental para o aluno agressivo. Por vezes, a aprendizagem das regras exige também a aplicação de sanções/consequências negativas face ao comportamento não desejado. Essas sanções não devem atingir directamente a pessoa, mas constituir um sinal bem claro de que maltratar um colega não é tolerado. Quando se combina o uso de recompensas pelas acções positivas com o uso de sanções consistentes pelo comportamento agressivo, violador das regras, resulta um melhor efeito dissuasor.

Neste contexto, para além da abordagem da dinâmica social da turma, reveste-se de especial importância o afrontamento do problema da agressividade a nível individual (quando existe e atinge um certo grau de gravidade ou reincidência). No sentido de intervir o mais precocemente possível face a tais situações, o professor precisa de possuir um conjunto de competências de observação e de acção, como sejam:

- estar atento aos sinais precoces de angústia e mal-estar dos alunos (doença injustificada, isolamento, desejo de permanecer com os adultos, absentismo errático, abaixamento do nível de trabalho escolar); se bem que estes comportamentos possam ser sintomas de outros problemas, eles podem ser sinais precoces de vitimização;

- saber distinguir maus-tratos entre iguais de jogo rude;
- ouvir atentamente as vítimas e também os agressores e registar todos os incidentes (a vítima e o agressor devem fazer o registo escrito dos acontecimentos; o professor, deve registar as suas discussões com ambas as partes); aos pais devem ser enviadas cópias de todos estes registos e estes devem responder ao comunicado;
- dar apoio imediato ao aluno-vítima (desencadeando os procedimentos previstos na escola);
- tornar bem claro ao aluno-agressor e a seus pais que o comportamento agressivo não é tolerado.

Esta abordagem do problema face a cada situação de vitimização deve, na verdade, incluir não só a acção directa face aos alunos implicados, como a colaboração entre a escola e a família. Neste âmbito, Olweus recomenda que o professor responsável pela turma em que tais situações se observem inicie de imediato *"conversas sérias"* com o aluno-agressor ou alunos-agressores, com o aluno-vítima e eventualmente com os pais (nos casos com um certo grau de gravidade ou reincidência).

Nas ditas *conversas sérias com o agressor* o professor deve, por um lado, fazer passar uma mensagem clara de que o comportamento agressivo não é tolerado e, por outro, estar precavido de que o agressor (*bully*)[29] vai desvalorizar a sua acção e exagerar os papéis desempenhados pelos outros, designadamente a vítima. O facto de existirem na escola e/ou na turma regras previamente definidas sobre o comportamento agressivo facilita obviamente estas conversas.

Nos casos específicos de *mobbing* (maus-tratos por parte de um grupo), Olweus aconselha a que se fale com um aluno de cada vez, numa sequência rápida de tempo, para que não haja oportunidade de discutirem o assunto entre si e de planificarem uma estratégia comum. Anatol Pikas, autor sueco que tem vindo a dedicar-se ao estudo de formas de intervenção face ao *bullying* praticado por grupos, defende que este tipo de actuação, a que chama de *método directo*, no qual o adulto, com firmeza e auto-

[29] Quando se trata de um agressor que sistematicamente humilha a vítima; não quando se trata de um agressor ocasional que tem com a vítima uma relação baseada numa certa simetria de poder. É preciso não confundir estes dois tipos de situações.

ridade, simplesmente transmite às crianças que maltrataram os seus companheiros, que o comportamento agressivo tem de parar, é apropriado apenas para crianças com menos de 9 anos e para uma situação de maus-tratos de um para um (Smith *et al.*, 1998: 195). Para crianças com 9 anos ou mais, em que um grupo ou *gang* de crianças ou de adolescentes maltratou um ou mais dos seus colegas, Pikas recomenda o "*método da preocupação partilhada*" (*The Method of Shared Concern*). Através do método pretende-se despertar os sentimentos e emoções dos diferentes membros do grupo de *bullies* relativamente à situação da vítima. Partindo das premissas de que no grupo existe uma "pressão para a conformidade" e uma "difusão da responsabilidade", assim como sentimentos de medo por parte de alguns (que receiam tornar-se vítimas se não colaborarem), o autor propõe uma sequência de estádios de comunicação com cada elemento do grupo e colectivamente com o grupo. Este processo visa, para além da expressão de sentimentos e de emoções, contribuir para a construção de uma responsabilidade partilhada na resolução do problema, no qual os alunos são encorajados a propor as suas próprias soluções. Também a "*abordagem sem censura*" (*The No Blame Approach*) de Maines e Robinson (cits. por Smith *et al.*, 1998: 203) assenta nos mesmos pressupostos, se bem que o processo seja conduzido fundamentalmente através da comunicação com o grupo. Relativamente ao método de Pikas, a "*abordagem sem censura*" enfatiza o papel da expressão de sentimentos e a necessidade de criar uma relação empática entre os agressores e a vítima. Os autores, segundo Smith *et al.* (1998: 204) argumentam que "a empatia ocorre quando os membros do grupo recordam experiências semelhantes de rejeição, intimidação ou de medo nas suas próprias vidas". As avaliações de um e de outro destes métodos são bastante restritas e, muitas vezes, reportam-se a estudos de caso, mas apresentam resultados bastante positivos. As críticas que lhe são dirigidas salientam o facto de acções deste tipo deverem ser articuladas com outras numa política de combate ao *bullying* a nível da escola na sua globalidade, designadamente no que respeita ao trabalho de cooperação com os pais.

Quanto *às conversas com as vítimas*, o professor necessita estar consciente de que a vítima geralmente apresenta insegurança e timidez, o que a leva a recear denunciar o agressor aos adultos. A protecção da vítima é, por isso, uma questão central e a maior parte das vezes exige uma forte cooperação entre a família e a escola. Podem ocorrer situações muito graves (ataques sucessivos, assaltos) em que a vítima pode precisar com urgência de ser orientada para uma ajuda profissional de um especialista em situações traumáticas.

Um dos aspectos a trabalhar com as crianças-vítimas é o fortalecimento das suas competências sociais, tais como a assertividade, a capacidade para resolver conflitos, a capacidade de fazer amizades, e também a capacidade para percepcionar as diferenças entre jogo rude e *bullying*. Quanto a esta última competência sabe-se que a maioria das crianças distingue jogo rude e *bullying* (77% aos 8 anos de idade e 93% aos 11, segundo Boulton, 1998: 143), mas uma minoria não o sabe fazer.

4.3. *PREVENÇÃO TERCIÁRIA*

Em todas as escolas, se bem que mais numas do que noutras, existem estudantes que obstinadamente apresentam comportamentos de indis-ciplina profundamente perturbadores do clima social da escola e do ambiente de aprendizagem na turma; é para eles que se deve dirigir a prevenção terciária, caracteristicamente uma intervenção destinada a casos persistentes. Tradicionalmente, e relativamente a eles tem dominado uma perspectiva de intervenção punitiva ou de exclusão.

Como já vimos acima, a investigação tem revelado a existência de uma associação entre este tipo de comportamento e factores como o insucesso escolar, a falta de auto-estima, a incapacidade para gerir conflitos de forma flexível e ausência de outras competências pessoais e sociais. Neste sentido, vários autores e educadores orientam-se para uma intervenção mais construtiva, que assente no desenvolvimento da capacidade da criança ou do adolescente de *ser forte* (*strength*), no desenvolvimento do *poder pessoal* (*empowerment*) e da *elasticidade* (*resiliance*) em vez de se preocupar com o *desvio* e a falta de controlo; uma perspectiva de intervenção que mais do que atender aos factores de risco trabalhe com os factores protectores.

Brendtro e Long (1995: 56) propõem, para uma acção da escola nesta perspectiva, o desenvolvimento de um *ethos* de escola que assente na intervenção face a estes casos excepcionais no que denominam os 4 A's:

- *Attachement* (ligação, vinculação): relações sociais positivas são pré-requisitos para o comportamento pró-social.

- *Achievement* (sucesso): criar expectativas positivas significa a recusa em aceitar o insucesso.
- *Autonomy* (autonomia): a verdadeira disciplina reside mais na exigência de responsabilidade do que na obediência.
- *Altruism* (altruismo): através da ajuda aos outros, os jovens encontram a sua própria autoconfiança.

Mais do que procurar explicações para o comportamento do aluno (os pais são negligentes, a família não é estruturada, por exemplo) é preciso conhecer os aspectos positivos de que se pode tirar partido para ajudar o aluno (um professor com quem mantém uma relação próxima, um tio que gosta muito dele, um amigo que tem na escola e que o pode influenciar positivamente, por exemplo). Por pior que seja a situação do aluno há sempre alguns aspectos da sua vida que podem ser "explorados" como factores protectores, com os quais o educador pode jogar para o ajudar a mudar de comportamento. Acima de tudo apostar na sua capacidade de aprendizagem e no seu sucesso escolar e tentar contrariar a expectativas negativas. Estas crianças ou adolescentes têm muitas vezes as suas vidas marcadas pelo insucesso (não só escolar), e lidam frequentemente com a ideia de que os adultos pouco esperam deles.

No caso português, bastante marcado por uma postura de exclusão destes alunos da escola (por vezes em fases bastante precoces da escolaridade), tem existido alguma preocupação com a procura de outras formas de encarar a intervenção face às crianças, adolescentes e jovens que se encontram à margem do sistema educativo, criando alternativas de reinserção no mesmo, de que é pioneiro o Projecto de Educação Multicultural "Fintar o Destino", integrado no Projecto transnacional do eixo Emprego *YouthStart* (GICEA, 2000). Também a criação recente do Programa Novas Oportunidades do Ministério da Educação, bem como o já citado Plano Integrado de Educação Formação de iniciativa conjunta do Ministério da Educação e do Ministério do trabalho no âmbito do Programa PEETI (Programa de Eliminação do Trabalho Infantil), pode constituir formas de resposta às necessidades educativas especificas destes jovens com dificuldade de integração escolar e social (Gordo, 2005; Pereira, 2007). Estas formas de intervenção apresentam um carácter inovador, mas pelo seu carácter localizado e experimental constituem apenas um verdadeiro oásis no grande deserto em que subsitem.

O sistema educativo, considerado ao nível macroestrutural, em articulação com as autoridades locais, tem o dever de definir e aplicar políticas de reintegração no sistema das crianças e adolescentes que dele foram retirados, esgotando todas as possibilidades para que não fiquem entregues a si próprios, como ainda acontece a muitas crianças, adolescentes e jovens em risco ou mesmo já em situação de marginalidade (Amado, 2007b).

A mudança das práticas nesta frente de intervenção exige igualmente, e até por antecipação, um papel pró-activo e inclusivo da escola (de cada escola) através da planificação e desenvolvimento de políticas educativas locais que, em articulação com as famílias e as comunidades em que se inserem (autarquias, organizações sociais etc.), dêem respostas adequadas aos alunos que de uma forma sistemática apresentam problemas de violência ou mesmo de indisciplina. Nesta linha de intervenção todos os educadores são importantes, mas aqueles que educam as crianças nos primeiros anos de escolaridade têm uma responsabilidade decisiva na construção do seu percurso escolar e do seu percurso de vida. A competência pedagógica dos professores do primeiro ciclo do ensino básico, particularmente no domínio relacional, é um factor determinante para o sucesso do sistema nesta área. Mas, para além da competência profissional é preciso que os professores amem, ou, mais do que isso, respeitem as suas crianças e acreditem verdadeiramente que as podem ajudar a crescer por mais difícil que a tarefa se apresente.

Nesta nova linha de acção, os educadores não podem agir sozinhos; novas colaborações são necessárias, bem como novos papéis têm de ser desempenhados, tanto pelos alunos, como por todos os profissionais que colaboram entre si numa determinada escola (ver "o caso do Kevin" *in* Brendtro e Banbury, 1994).

O trabalho de colaboração das escolas com outras instituições é também crucial, pois que a escola não está, nem pretende estar, apetrechada de recursos humanos capazes de dar inteira resposta nomeadamente aos problemas persistentes de indisciplina e de violência. Deverá sim estar preparada, enquanto instituição e os seus membros (professores, psicólogos, assistentes sociais e outros) enquanto profissionais, por um lado, para diagnosticar as situações, sabendo distingui-las de outras que são ocasionais e não comportam violência e, por outro, para o trabalho de colaboração com profissionais de saúde mental, conselheiros na área da toxicodependência, serviços judiciais e outros educadores, pois que é desse esforço de colaboração que depende o sucesso da intervenção.

Contudo, todos sabemos do muito que há para fazer no nosso país no que diz respeito à criação de projectos educativos e ao desenvolvimento de práticas que, em torno de problemas reais, efectivem processos de colaboração com entidades externas à própria escola. Em grande parte das escolas do nosso país, para os alunos que se envolvem com frequência em problemas de violência, ou mesmo apenas com outras formas de indisciplina menos gravosas, o quadro dominante tem sido o da exclusão, ou seja, acabam por ser afastados do próprio sistema, sem qualquer acompanhamento. Muitas vezes, vêm a percorrer os caminhos da marginalidade e já nessa conjuntura acabam por ser seguidos em instituições, tradicionalmente chamadas de reabilitação e mais recentemente de reinserção social, ligadas ao poder judicial, as quais se confrontam com enormes dificuldades para dar resposta aos problemas específicos e gravíssimos dos adolescentes e jovens que servem.

Muito haveria a dizer, ainda, sobre a acção preventiva, a todos os níveis, da problemática disciplinar e da violência na escola; é um tema sobre o qual correm, aliás, rios de tinta, mas o seu caudal será inútil se quem está envolvido nestes problemas (alunos, professores, encarregados de educação, políticos, sociedade civil em geral), não estiver suficientemente aberto e disponível para os resolver. Essa disponibilidade tem de passar por cada um reconhecer a sua quota-parte de responsabilidade e contrariar a habitual atitude de alijar as «culpas» para cima dos outros; tem de passar por um esforço de identificação dos factores predominantes, em cada caso, acompanhado pela criatividade (que é também liberdade, entusiasmo, alegria) na procura de soluções; essa disponibilidade tem de passar pela ideia de que, por detrás de cada problema, de cada incidente, estão seres humanos, talvez perdidos, confusos, sentindo-se rejeitados, sem ninguém que os oiça... e com uma grande vontade de dizer que, afinal, também cá estão... seres humanos «formando-se, mudando, crescendo, reorientando-se, melhorando, mas, porque gente, capaz de negar valores, de distorcer-se, de recuar, de transgredir»... gente, enfim, a exigir de nós, enquanto docentes, e parafraseando Paulo Freire (1996: 163), um alto nível de responsabilidade ética de que a nossa capacitação científica e pedagógica faz parte.

V PARTE

INSTRUMENTOS DE REFLEXÃO E ORIENTAÇÃO DA PRÁTICA

INSTRUMENTOS DE REFLEXÃO E ORIENTAÇÃO DA PRÁTICA

Nesta quinta parte o nosso objectivo é o de apresentar uma série de instrumentos que facilmente possam ser usados pelo professor, individualmente ou em grupo, na sua formação contínua e na preparação das aulas. Começamos por apresentar alguns incidentes críticos, em tudo semelhantes aos que qualquer professor poderá registar nas suas aulas ou na sua escola; já dissemos que reflectir sobre este tipo de materiais (como participações e actas de conselhos disciplinares) «pode ser uma excelente prática de formação com retorno evidente sobre a prevenção dos problemas), que leve a tornar "estranho" (questionar) o que de mais familiar existe no dia-a-dia da escola, como as relações assimétricas de poder, o carácter coactivo de interacção entre professores e alunos, o alheamento dos interesses e das perspectivas docentes, as práticas rotineiras e desmotivadoras do ensino... e a incapacidade de implicar os alunos na governação democrática da escola, condição indispensável para a aprendizagem da cidadania» (Amado e Mateus, 2002: 63).

Em seguida apresentamos alguns instrumentos de auto-observação para professores, centrados no modo como gerem a aula; com muitos autores comungamos da ideia de que os problemas de indisciplina e da violência na escola «conclamam, mais do que nunca, um enfrentamento de cunho propriamente pedagógico, tendo como palco privilegiado o interior mesmo da sala de aula e as suas relações constitutivas» e que é, a partir daí, «que se pode, a nosso ver, atingir a conversão dessa violência de cada dia numa acção mais afirmativa, orientada para a construção de um mundo efectivamente mais pensante e, portanto, menos tosco e brutalizado, como muito bem o disse Júlio Aquino (2000: 179).

No mesmo espírito oferecemos, também, instrumentos de auto-observação para alunos. O leitor encontrará, ainda, um conjunto de sinais de alerta tendo em conta as situações de maus tratos entre iguais. Finalmente apontamos uma nova via para o pensar colectivo de todas estas problemáticas que é o recurso à Internet como fonte de sugestão e de orientações e como meio de colocar à disposição de todos os projectos e a experiência de cada professor e de cada escola.

5.1. *CASOS E INCIDENTES CRÍTICOS*

Os casos e incidentes que aqui se apresentam são baseados na realidade vivida nas escolas portuguesas e foram construídos a partir de relatos de situações feitos por professores em situação de formação.

Caso 1: Mário, o Rei

A professora Maria do Céu lecciona a disciplina de Língua Portuguesa há 15 anos numa escola do 2.° e 3.° ciclo de um agrupamento da periferia de Lisboa. A maioria dos alunos desta escola pertence a uma população com baixos recursos económicos, que habita num bairro social que confronta com a escola. Numa das suas aulas de uma turma do 6.° ano, os alunos realizavam um trabalho de grupo que consistia na elaboração de um texto sobre o conto tradicional português "Frei João Sem Cuidados", a ser dramatizado na festa de Natal da escola.

Enquanto os alunos trabalham nos seus grupos, a professora vai circulando pela sala e apoiando. Passados 20 minutos de aula, a professora Maria do Céu repara que um dos grupos discute em voz alta com grande agitação. Aproxima-se de imediato e pergunta: "Então meus meninos o que se passa aqui?". Ana, um dos elementos do grupo, responde: "É o Mário *setora* que não nos deixa trabalhar, diz que só trabalha se o deixarmos fazer o papel de rei e a gente não quer!". Mário olha para a professora e diz: "Se não for eu a fazer de rei não trabalho mais!". O Mário é um aluno que frequentemente se envolve em conflitos com os colegas, sendo bastante irredutível nas suas opiniões e, por vezes, um pouco agressivo. Gosta de participar nas aulas e tem um bom nível de aproveitamento.

Maria do Céu conversa com o grupo e, individualmente, com o Mário, no sentido de perceber o porquê daquela situação. O grupo não se encontra muito disponível para aceitar o Mário como seu membro, pelo que se mantém irredutível até que Mário grita: "Pronto, já disse... assim não faço nada!!".

Estes casos e outros semelhantes poderão ser utilizados em situações de formação em sentido formal (cursos, oficinas de formação, ou outras modalidades); mas também poderão ser úteis em situações de formação menos formais como, por exemplo, no âmbito da preparação dos professores, em pequenos grupos, para o ano escolar. Para além de poderem ser utilizados como exercícios de reflexão e debate, também podem ser explorados formativamente, até com vantagem, como guiões de situações de simulação e de *role-playing*. A seguir à apresentação de cada caso o leitor encontrará algumas questões orientadoras para uma reflexão sobre a relação pedagógica.

Tópicos para reflexão

- *Coloque-se no papel da professora Maria do Céu. Que faria nesta situação? Porquê?*
- *Comente o caso, analisando a importância do trabalho de grupo no desenvolvimento pessoal e social dos alunos e na prevenção da indisciplina.*

Caso 2: A participação disciplinar

Na escola da Quinta dos Álamos, a turma 7.°J é considerada bastante indisciplinada. É constituída por 18 alunos, com idades muito diversas (a média etária é de 14 anos). Alguns dos alunos fizeram um percurso escolar com acentuado insucesso. António é um deles, tem 15 anos e frequenta o 7.° ano pela segunda vez.

Alberto é um jovem e inexperiente professor de Geografia, muito tímido e algo marcado pelas dificuldades em gerir as turmas que lhe são confiadas. Naquele ano, apostou desde a primeira aula no controlo da situação, estabelecendo um grande número de regras muito estritas. Queria começar de modo a que tudo estivesse bem definido. Tentou mostrar "mão de ferro" e não deixar "passar nada", especialmente face ao 7.°J. Volvido apenas um mês depois do início do ano, já tinha encaminhado bastantes alunos para o Conselho Executivo e feito uma grande quantidade de participações disciplinares aos directores de turma, em maior número relativas ao 7.°J. No dia 22 de Novembro, após a aula com o 7.°J, apresentou a seguinte participação disciplinar:

"O aluno António, n.° 5 do 7.°J foi colocado fora da sala de aula por incorrecto comportamento desde o início da aula. No decorrer da realização de uma ficha formativa, tentou destabilizar o normal funcionamento da aula, conversando e cantarolando. O aluno foi várias vezes avisado para deixar de conversar e estar sossegado. Posteriormente, achou por bem fazer a ficha em voz alta. Após tudo isto, foi-lhe ordenado que abandonasse a sala de aula. Ao mesmo tempo que ia saindo, sem pressa, comentou que o professor devia cortar o bigode e que metia nojo. Por todo este comportamento foi-lhe marcada falta disciplinar".

Tópicos para reflexão

- *Considerando as funções dos comportamentos de indisciplina propostas por Estrela (1986; 2002), analise a evolução do comportamento do António ao longo da aula de Geografia.*
- *Imagine-se no papel de coordenador do departamento a que pertence a disciplina de Geografia na escola da Quinta dos Álamos e que o professor António lhe ia pedir ajuda para lidar com a turma 7.°J e especialmente com o António. O que faria para o ajudar?*
- *Imagine-se como membro do Conselho Executivo desta escola e que o professor Alberto não pedia ajuda. Quanto a si, qual deveria ser a atitude do conselho executivo face a esta situação? O que poderia ser feito nesta escola para prevenir a ocorrência de casos deste tipo?*

Caso 3: Emanuelle

Estamos em Fevereiro. A turma C do 8.° ano da escola da Calçada, na disciplina de Francês está confiada à professora Alice, que este ano está a ser avaliada no seu desempenho. Alice é vista na escola como uma professora empenhada, mas com dificuldades na condução de turmas difíceis.

A escola da Calçada situa-se num bairro de classe média alta de uma grande cidade. A professora Filomena é professora titular e está indigitada para a avaliação de desempenho dos professores que este ano se propuseram; já lecciona nesta escola há 23 anos.

Hoje, 4.ª feira, ao 2.° tempo da manhã, Filomena irá observar uma aula da professora Alice na turma 8.°C, num bloco de 45 minutos.

Alice está nervosa, pois ultimamente as aulas com esta turma não têm corrido bem. Este ano foram abolidos os toques de campainha. Um pouco antes da hora do início da aula, Alice e Filomena dirigem-se para a sala de aula, conversando.
Alice entra e dirige-se para a secretária, enquanto Filomena se senta ao fundo da sala. De imediato, repara que as condições da sala não são as melhores, pois as cadeiras e as mesas estão fora do lugar e os reflexos da luz impedem a boa visibilidade do quadro.
Entretanto os alunos entram com grande agitação; vão-se sentando, fazendo muito barulho, falando em voz alta uns com os outros. Alguns, depois de sentados, levantam-se para falar com os colegas do outro lado da sala, outros falam gritando para serem ouvidos pelos colegas. Alice permanece sentada durante esta situação. Ainda durante esta grande agitação, Alice pede a Ricardo que escreva o sumário no lado direito do quadro, enquanto ela própria faz o mesmo do lado esquerdo. Alguns alunos levantam-se para conseguirem ler o que está no quadro. O barulho continua, uns passam o sumário, outros conversam e riem.
Filomena tira notas. Depois de escrever o sumário, Alice ordena que façam uma ficha de trabalho: "Vá, toca a abrir o livro na página 87 e a fazer a ficha de trabalho n.° 12. E não quero mais barulho!". Um dos alunos, o Tiago interrompe: "Oh! setora, nunca passa um filme nem nada, porque é que não vemos a Emanuelle?!". Alice sorri e diz: "vamos lá fazer a ficha!".
A aula continua com a mesma agitação inicial, enquanto Alice percorre a sala e vai tirando dúvidas que alguns alunos vão colocando. A situação mantém-se até à hora da saída. Vêem-se pela janela alunos de outras turmas que já estão no recreio. O barulho aumenta e alguns alunos já estão levantados. Alice grita muito alto pedindo aos alunos que acabem a ficha em casa. Alguns já tinham saído. Alice e Filomena ficam ainda algum tempo na sala de aula, enquanto Alice arruma os seus papéis. Quando saem, Filomena diz a Alice que têm de se encontrar para conversar.

Tópicos para reflexão

- *Comente o caso, analisando o desempenho da professora Alice na perspectiva da gestão da aula e do grupo.*
- *Analise os fins e as funções dos comportamentos de indisciplina destes alunos.*

- *Como vê a acção e a postura da professora Filomena na função de avaliadora?*
- *Coloque-se agora no papel da professora Filomena. Estabeleça um plano de avaliação e apoio para a professora avaliada, Alice, tendo em conta a dimensão de desenvolvimento do ensino e da aprendizagem.*

Caso 4: Uma criança frágil

A escola do 1.° ciclo do ensino básico, onde se desenrola esta cena, situa-se num bairro de classe média de uma cidade da zona sul do país. Possui excelentes espaços exteriores, com um campo de jogos de boas dimensões e uma zona com árvores de grande porte que dão boas sombras. Tem bancos de jardim espalhados pelos espaços exteriores. É frequentada por cerca de 250 alunos e, na altura, estava com apenas duas auxiliares de acção educativa no activo. Os professores permanecem nos espaços cobertos da escola durante os intervalos e só uma das auxiliares está, geralmente, no espaço de recreio. A coordenadora da escola é uma pessoa muito distante dos problemas e a sua presença quase não se faz notar.

O Pedro é uma criança fisicamente muito frágil, que frequenta o 1.° ano do Ensino Básico. Teve muitas dificuldades de adaptação no início do ano. Muitas vezes chorava quando os pais o deixavam na escola. Ainda não fez amigos e passa a maior tempo de intervalo sozinho. Não é o único, pois que durante os intervalos é frequente encontrar crianças sozinhas em certos espaços do recreio.

Naquela manhã muito fria de Dezembro, Pedro estava encostado ao tronco de uma das árvores do recreio quando três meninas suas colegas de turma se aproximam sorrateiramente e agitam junto do seu pescoço o ramo de uma planta, fazendo menção de lhe fazer cócegas. Pedro reage incomodado. As colegas riem e, parecendo tirar prazer do incómodo do Pedro, continuam a fazer-lhe cócegas. Este, vendo-se impotente face à insistência das pequenas colegas, tenta subir para uma bifurcação do tronco da árvore (relativamente próxima do solo) e magoa-se num dedo. Começa a chorar e mostra o dedo, que já estava magoado (estava roxo e tumefacto) e diz isso às colegas. Aquela que tinha o ramo da planta na mão bate-lhe no dedo com a parte lenhosa do ramo, o que aumenta o seu choro e o riso das colegas. Ao lado da cena (a cerca de 20 metros) estava a auxiliar de acção educativa, sentada num dos bancos de jardim, rodeada de outras crianças. Embora observasse a cena, nunca interveio. Foi a mãe de um outro aluno da escola, que, ao passar observou a cena e, aproximando-se, dissuadiu as meninas agressoras e consolou o Pedro. Casos destes apresentam alguma frequência, até porque a escola integra crianças com necessidades educativas especiais (deficientes auditivos).

Tópicos para reflexão

- *Comente a atitude da auxiliar de apoio educativo.*
- *Imagine-se no papel da coordenadora desta escola. O que faria para afrontar o problema da marginalização e da agressão entre as crianças?*
- *Para si, que tipo de acções deveriam desenvolver os profissionais desta escola (coordenador dos professores titulares de turma, professores em geral – conselho de docentes, auxiliares de educação) no sentido de prevenir as situações de maus-tratos entre as crianças? Trace as ideias gerais para a construção de um plano de acção preventiva.*
- *Como vê a atitude da mãe que observou esta situação?*

Caso 5: Na paragem do autocarro

Eduardo era um jovem de 17 anos, que frequentava o 8.° ano na Escola da Quinta Grande, à noite, num curso alternativo, depois de um percurso escolar de grande insucesso na escolaridade regular. Ao contrário dos outros jovens da turma, que eram na sua maior parte dos bairros sociais daquela periferia da cidade, Eduardo vivia numa zona de classe média. Os pais, africanos, tinham ambos profissões qualificadas, a mãe era enfermeira e o pai economista, viviam há bastantes anos em Portugal, sendo o Eduardo e seus irmãos de nacionalidade portuguesa.
A Escola da Quinta Grande está integrada num Agrupamento vertical de Escolas. A turma do Eduardo era constituída fundamentalmente por jovens de nível etário próximo do do Eduardo, vistos pelos professores como um grupo bastante pacato, que acatavam bem as suas orientações.

Nos últimos tempos os pais tinham percebido uma certa tristeza no Eduardo e falta de vontade de ir a escola, o que contrastava com o entusiasmo dos primeiros tempos naquele ano.

Naquela sexta feira, ao final das aulas, depois de terminar a aula de Matemática, no corredor Márcio aproxima-se de Eduardo e diz-lhe baixinho:

– *Então pá?! Trouxeste?*

– *Não, não tenho*, responde timidamente Eduardo.

– *Mas, eu tinha-te dito que hoje precisava. Hoje "comes" pá!* – ameaça Márcio e retira-se sem dar nas vistas.

Eduardo também se afasta, sai da escola e dirige-se à paragem do autocarro que se situa ainda um pouco distante. O coração bate aceleradamente, sente que não consegue resistir mais às pressões de Márcio para lhe extorquir dinheiro. Sente-se coagido e com medo. Márcio é considerado entre os colegas um líder que exerce influência sobre os outros, que o temem pelo seu poder físico. Fá-lo dissimuladamente, sem que os professores se apercebam, em situações fora do seu campo de observação, pelo que estes desconhecem este aspecto da sua personalidade.

Pouco depois de chegar à paragem do autocarro, Eduardo é rodeado por um grupo de colegas que o agridem violentamente partindo-lhe os óculos. Já não é a primeira vez que colegas o agridem.

(Adaptado de Veiga Simão e Freire, 2007)

Tópicos para reflexão:

- *Caracterize o fenómeno de que Eduardo estava a ser vítima.*
- *Imagine-se no papel de coordenador dos cursos nocturnos e que tomava conhecimento deste caso. Como conduziria a resolução do problema?*
- *O que deveria ser feito na turma para prevenir novas situações deste tipo? E ao nível da escola?*
- *Discuta os factores que estarão associados a esta situação de agressão/vitimação?*

Caso 6: A cotovelada

O Pedro era um adolescente bastante instável. Com 16 anos estava a frequentar o 6.° ano a Escola Básica 2,3 da Silveira Grande, numa turma de Currículos Alternativas. Dizia-se que desde muito pequeno tinha sido marcado pelo ambiente familiar onde a violência frequente do pai se juntava a uma grande pobreza. Aos cinco anos perdeu a mãe.
Apesar de tudo isto e da sua experiência de insucesso escolar, o Pedro adaptou-se bem à turma que frequentava naquele ano e tinha uma relação muito particular com a directora de turma Ana Galante, também professora de Ciências da Natureza. Seguia as suas aulas com interesse, respeitavam-se mutuamente e no final de cada aula ficavam muitas vezes à conversa.
Certo dia no decorrer de uma aula, Ana Galante observa que Pedro está sistematicamente distraído e irrequieto. Chama-lhe a atenção para se concentrar na actividade de aula (resolução a pares de uma ficha de trabalho), mas em vão. Logo de seguida, Pedro levanta-se e deambula pela sala, enquanto o seu colega continua a actividade.
– *Pedro senta-te por favor! Não vês que todos os teus colegas estão a trabalhar?! Afinal o que tens hoje?*
Pedro não responde, mas também não se senta, pelo contrário dirige-se para a janela com o olhar vazio, sem atender à presença da professora. Então, Ana Galante aproxima-se dele e agarra-lhe no braço, sorrindo e pressionando-o a ir sentar-se.
– *Vá Pedr....*
Não termina a frase, porque Pedro sacode-a vigorosamente e dá-lhe uma forte cotovelada na cara.
– *Largue-me! Não me toque! Deixe-me!* – afirma bastante perturbado, repudiando o toque físico.
No dia seguinte as nódoas negras eram bastante visíveis na face da professora Ana.

(Adaptado de Veiga Simão e Freire, 2007)

Tópicos para reflexão:

- *O que faria se estivesse no lugar da professora Ana Galante?*
- *Discuta as causas prováveis do comportamento do Pedro.*

- *Nesta escola alguns alunos apresentavam um perfil de comportamento idêntico ao do Pedro. Equacione estratégias de intervenção a nível da escola para lidar com este problema.*

5.2. *AUXILIARES DE DIAGNÓSTICO PARA PROFESSORES*

Os dois questionários de auto-observação que a seguir oferecemos prestam-se a ser utilizados tanto individualmente (pelo professor que pretenda observar o seu desempenho na gestão da aula), como em situações de formação colectiva. A auto-observação e a reflexão com base no seu uso, pode, com vantagem, ser feita por partes; a começar, por exemplo, pela "gestão de conflitos" (se essa é a necessidade principal), e a terminar na "preparação e planificação de aulas", sempre seguindo os itens do questionário. Após a análise de cada uma das partes é útil que quem responde ao questionário tome notas sobre:

- os tópicos a discutir com os colegas ou com o formador;
- aspectos que quer observar melhor;
- aspectos que sente dever melhorar.

5.2.1. **Questionário de auto-observação – A Prevenção da Indisciplina na Aula**

Verifique se utiliza os procedimentos seguintes com o fim de criar e de manter um bom clima relacional e de trabalho nas suas aulas.

ORGANIZAÇÃO E GESTÃO DA AULA

Enquanto professor(a), será que estabeleço um bom clima na sala de aula e ajudo os meus alunos a ter comportamentos adequados?

1. PREPARAÇÃO E PLANIFICAÇÃO

	Sim	**Às vezes**	**Não**
Programo actividades variadas, que exijam capacidades diversas e constituam um desafio a essas mesmas capacidades?	☐	☐	☐
Sou capaz de antecipar dificuldades potenciais e reagir apropriadamente quando elas ocorrem?	☐	☐	☐
Presto atenção às expectativas dos alunos?	☐	☐	☐
Selecciono actividades em harmonia com os objectivos a que me proponho?	☐	☐	☐
Organizo a sala de aula de maneira a criar uma atmosfera propiciatória a um bom clima de aula?	☐	☐	☐
Verifico se os materiais e aparelhos estão prontos a serem usados e em boas condições?	☐	☐	☐
Marco trabalho de casa com regularidade, ao longo do ano?	☐	☐	☐

2. INÍCIO DA AULA

	Sim	Às vezes	Não
Chego pontualmente à aula?	☐	☐	☐
Faço com que os alunos cheguem pontualmente à aula?	☐	☐	☐
Supervisiono a entrada dos alunos na aula? (sempre que tal se justifique)	☐	☐	☐
Sempre que marco trabalho de casa (na aula anterior), asseguro-me de que os alunos o fizeram e esclareço dúvidas?	☐	☐	☐
Explícito claramente os objectivos da aula?	☐	☐	☐
Início a aula de maneira interessante e motivadora?	☐	☐	☐

3. DESENVOLVIMENTO DA AULA

3.1. *Perguntas, Instruções e explicações*

	Sim	Às vezes	Não
Evito uma linguagem demasiado difícil ou ambígua?	☐	☐	☐
Quando faço explicações para o colectivo uso perguntas breves para verificar o nível de recepção dos alunos?	☐	☐	☐
Faço a ligação entre a nova informação e a informação já adquirida pelos alunos?	☐	☐	☐
Uso perguntas breves para manter os alunos focados no conteúdo da aula?	☐	☐	☐

3.2. *Vigilância*

	Sim	Às vezes	Não
Tento ter sempre visibilidade de toda a turma? (coloco-me em posições estratégicas)	☐	☐	☐
Dou a entender à turma que sei o que cada aluno está a fazer naquele momento?	☐	☐	☐
Tento desenvolver a capacidade de prestar atenção a mais do que uma situação ao mesmo tempo?	☐	☐	☐
Paro rapidamente o comportamento perturbador, com um mínimo de interferência na aula? (não faço discursos, nem dou sermões)	☐	☐	☐

3.3. *Actividades e conteúdos*

	Sim	Às vezes	Não
Adequo o modo de apresentação dos conteúdos e tarefas às idades, capacidades e características culturais dos alunos?	☐	☐	☐
Realizo com os alunos actividades variadas e relevantes e utilizo diferentes métodos de ensino?	☐	☐	☐
Organizo actividades nas quais a maioria dos alunos possa ter sucesso a maior parte das vezes, sem deixar de providenciar uma gradação de dificuldades que os leva a progredir?	☐	☐	☐
Se a aula está programada para um trabalho colectivo, dirijo-me principalmente para a turma no seu todo?	☐	☐	☐
Mostro entusiasmo pelo que ensino?	☐	☐	☐

Mantenho os alunos activamente envolvidos em actividades produtivas?	☐	☐	☐
Nas turmas que me estão confiadas, os alunos realizam com regularidade trabalho cooperativo nas aulas (trabalho de grupo, tutoria, trabalho de pares)?	☐	☐	☐
Dou feedback aos alunos pelo seu desempenho, com regularidade?	☐	☐	☐

3.4. *Manutenção do ritmo da aula*

	Sim	**Às vezes**	**Não**
Faço transições suaves entre actividades; certifico-me que todos os alunos concluíram a anterior e dou instruções claras acerca da seguinte? (de modo que todos percebam a mudança, evitando barulho excessivo ou demasiada agitação)	☐	☐	☐
Evito tempos mortos entre diferentes actividades?	☐	☐	☐
Planifico tarefas alternativas para os alunos que acabam mais cedo os seus trabalhos?	☐	☐	☐
Tento ser fluente e evito momentos de abrandamento do ritmo da aula?	☐	☐	☐

4. FINAL DA AULA

	Sim	Às vezes	Não
Tento terminar as actividades um pouco antes da hora de saída?	☐	☐	☐
Faço com os alunos o sumário dos tópicos principais da lição?	☐	☐	☐
Dou instruções claras para o trabalho de casa ou para a preparação da aula seguinte?	☐	☐	☐
Faço uma breve prospectiva do que será a próxima (ou as próximas aulas), criando entusiasmo pelo que se segue?	☐	☐	☐
Faço com que os alunos guardem os materiais de maneira calma e ordeira? (sempre que tal se justifique)	☐	☐	☐
Supervisiono a saída dos alunos? (quando necessário)	☐	☐	☐

CONDUÇÃO DE ALUNOS

Podem reduzir-se as possibilidades de ocorrerem situações perturbadoras da relação pedagógica e do ambiente de trabalho na aula, se se agir, logo de início, com autoridade.

1. REGRAS E ROTINAS

	Sim	**Às vezes**	**Não**
Conheço e mostro que conheço as regras e rotinas habituais da aula e da escola?	☐	☐	☐
Clarifico com os alunos um conjunto de regras básicas para o funcionamento da turma e explícito as consequências à infracção das mesmas?	☐	☐	☐
Defino as regras pela positiva?	☐	☐	☐
Mostro-me firme em relação ao cumprimento dessas regras, muito particularmente durante as primeiras três semanas de aulas?	☐	☐	☐
Estabeleço as regras em harmonia com os meus princípios educativos e com os objectivos que pretendo atingir?	☐	☐	☐
Face aos desvios evoco frequentemente as regras?	☐	☐	☐

2. REFORÇO DO COMPORTAMENTO ADEQUADO

	Sim	**Às vezes**	**Não**
Dou reforço imediatamente a seguir ao comportamento desejado?	☐	☐	☐
Reforço os comportamentos adequados com frequência apropriada? (Não uso o reforço com frequência, mas uso sempre que é apropriado)	☐	☐	☐
Quando recompenso algum aluno pelo seu comportamento, tenho o cuidado de escolher recompensas apropriadas à situação e ao aluno em causa?	☐	☐	☐
Quando recompenso ou reforço o comportamento de um aluno, explicito a razão do estímulo?	☐	☐	☐

3. PUNIÇÃO

	Sim	**Às vezes**	**Não**
Só castigo quando não tenho outra alternativa? (Não abuso do uso de sanções)	☐	☐	☐
Ao repreender identifico o aluno em falta?	☐	☐	☐
Quando repreendo ou castigo, faço-o de uma maneira clara e firme?	☐	☐	☐
Focalizo a punição no comportamento incorrecto e não na pessoa?	☐	☐	☐
Aplico o castigo imediatamente a seguir à falta?	☐	☐	☐
Tento ser consistente?	☐	☐	☐

Ao repreender dou maior ênfase ao comportamento positivo esperado do que aos aspectos negativos ocorridos?	☐	☐	☐
Tento ajustar o castigo à falta? (o castigo deve estar relacionado com a falta cometida)	☐	☐	☐
Quando repreendo ou castigo, falo num tom que sugere autoridade e induz acordo?	☐	☐	☐

4. GESTÃO DE CONFLITOS

	Sim	**Às vezes**	**Não**
Mantenho o controlo da conversa?	☐	☐	☐
Mantenho a calma, controlo a irritação?	☐	☐	☐
Estou consciente das respostas emocionais do aluno? (sou bom observador do comportamento, emoções e sentimentos dos outros)	☐	☐	☐
Ajudo a identificar o problema e a encontrar soluções para o ultrapassar, em vez de apenas censurar?	☐	☐	☐
Crítico o acto, não a pessoa?	☐	☐	☐
Mostro-me seguro(a) e confiante?	☐	☐	☐
Evito o sarcasmo e a ridicularização do aluno?	☐	☐	☐
Evito ameaças e intimidações?	☐	☐	☐
Utilizo o confronto de forma positiva?	☐	☐	☐

5. RELAÇÕES PESSOAIS

	Sim	**Às vezes**	**Não**
Tento ser consistente e justo(a)?	☐	☐	☐
Mostro interesse pelos alunos como pessoas? (tento criar uma relação de empatia	☐	☐	☐
Sou acessível e tento estar disponível? (tento encontrar um equilíbrio entre a autoridade e a proximidade)	☐	☐	☐
Crio um clima na sala de aula onde o aluno, demonstre respeito pelo trabalho e pelos outros?	☐	☐	☐
Exprima sem receio os seus sentimentos?	☐	☐	☐
Possa participar nos processos de decisão?	☐	☐	☐
Desenvolva a autodisciplina?	☐	☐	☐
Tome consciência das suas necessidades e interesses?	☐	☐	☐
Aprenda a monitorizar as suas aprendizagens	☐	☐	☐

COMUNICAÇÃO NÃO VERBAL

As mensagens não verbais são uma parte poderosa da comunicação. O comportamento não verbal pode afectar a atenção e o interesse, comunicar ansiedade ou confiança, mostrar status e autoridade

1. POSTURA

	Sim	**Às vezes**	**Não**
Adopto uma postura descontraída?	☐	☐	☐
Adopto uma postura de alerta, mas confiante	☐	☐	☐

2. VOZ

	Sim	**Às vezes**	**Não**
Uso um tom e volume apropriados?	☐	☐	☐
Pratico a projecção de voz?	☐	☐	☐

3. CONTACTO VISUAL

	Sim	**Às vezes**	**Não**
Percorro regularmente com o olhar toda a classe?	☐	☐	☐
Estabeleço contacto visual com os diferentes alunos?	☐	☐	☐
Controlo o contacto visual?	☐	☐	☐

4. EXPRESSÃO FACIAL	**Sim**	**Às vezes**	**Não**
Utilizo uma expressão de acordo com o contexto do discurso?	☐	☐	☐

5. GESTOS	**Sim**	**Às vezes**	**Não**
Uso gestos para dar ênfase ao discurso?	☐	☐	☐
Coordeno os gestos com o discurso?	☐	☐	☐
Vario e tento usar os gestos com uma frequência apropriada?	☐	☐	☐

6. POSIÇÃO E MOVIMENTO	**Sim**	**Às vezes**	**Não**
Selecciono uma posição apropriada quando me dirijo à turma colectivamente?	☐	☐	☐
Controlo o uso que os alunos fazem do seu próprio território e as suas deslocações?	☐	☐	☐
Uso o espaço/território do aluno para apoiar, recompensar ou controlar o seu comportamento?	☐	☐	☐
Movimento-me com frequência por toda a sala?	☐	☐	☐

XXXX

Após a análise das respostas ao questionário é absolutamente necessária uma reflexão sobre as conclusões. Aqui ficam algumas orientações práticas para essa mesma reflexão.

- Inventarie as regras realmente em uso nas suas aulas e infira dos valores que lhe estão subjacentes.
- Avalie a sua consistência na aplicação das regras no final de cada aula em dois dias da semana.
- Inventarie as técnicas de intervenção disciplinar que costuma utilizar. Avalie os efeitos dessas técnicas em geral e relativamente a alguns alunos ou turmas que considere indisciplinados.
- Ensaie uma técnica que não costume usar e lhe pareça adequada. Avalie os resultados.
- Faça o registo de incidentes críticos das suas aulas e analise os fins e as funções dos comportamentos de indisciplina que registou..
- Faça um levantamento de conceitos de indisciplina a nível dos professores de uma turma e peça a sua definição operacional.
- Faça o estudo de caso de um aluno que considere indisciplinado.
- Escreva um diário das suas aulas.

5.2.2. **Questionário de auto-observação – Qual é o meu estilo de gestão de sala de aula?**[30]

Responda às 12 questões que se seguem e conheça melhor o seu perfil de gestão de sala de aula. Os passos são os seguintes:

Leia cuidadosamente cada frase.

Responda a cada questão utilizando a escala que abaixo se apresenta.

Responda baseando-se na sua experiência de sala de aula.

Finalmente, siga as instruções para pontuação das suas respostas que abaixo se apresentam.

[30] Adaptado a partir de Hawley, C. (1997).

Escala:

Discordo completamente
Discordo
Concordo
Concordo completamente.

Questões:

Se um aluno perturba a aula, isolo-o dos colegas, sem qualquer discussão. ☐

Não gosto de impor regras aos meus alunos. ☐

Na sala de aula deve haver silêncio para que os alunos possam aprender. ☐

Preocupo-me com o que os alunos aprendem e como aprendem. ☐

Se o aluno apresentar um trabalho de casa fora de horas, o problema não é meu. ☐

Não gosto de repreender um aluno, porque posso ferir os seus sentimentos ☐

A preparação das aulas não vale o esforço. ☐

Tento sempre explicar as razões que fundamentam as minhas regras e decisões. ☐

Não posso aceitar desculpas de um aluno que chega atrasado. ☐

O bem-estar emocional de um aluno é mais importante do que o controlo da sala de aula. ☐

Os meus alunos compreendem porque não podem iterromper a minha explicação se têm uma pergunta a fazer. ☐

Se um aluno me pedir permissão para circular na sala eu acedo. ☐

Para analisar o seu estilo

Some as pontuações das suas respostas às frases 1, 3 e 9. Esta é a sua pontuação para o estilo autoritário.

Some as pontuações das suas respostas às frases 4, 8 e 11. Esta é a sua pontuação para o estilo assertivo.

Some as pontuações das suas respostas às frases 6, 10 e 12. Esta é a sua pontuação para o estilo permissivo.

Some as pontuações das suas respostas às frases 2, 5 e 7. Esta é a sua pontuação para o estilo indiferente.

A sua pontuação para cada estilo de gestão pode variar de 3 a 12. O resultado é o seu perfil de gestão de sala de aula. Uma pontuação elevada indica uma forte preferência por um estilo particular. Depois de ter encontrado as suas pontuações e determinado o seu perfil vá reler as descrições de cada estilo de gestão que se apresentaram nas páginas 30 e 31. Poderá encontrar um pouco de si em cada uma deles. À medida que vai adquirindo mais experiência de ensino, poderá verificar que o seu estilo preferido vai mudando.

5.2.3. ABC da Prevenção da Indisciplina

A dquira cada vez maior consciência de si em acção.

B atalhe pela colaboração dos pais na vida da escola.

C rie uma atmosfera de respeito pelos outros.

D escubra o seu estilo de professor.

E nvolva os alunos activamente nas tarefas.

F aça um inventário das necessidades e interesses dos alunos.

G uie-se por comportamentos assertivos.

H abitue o aluno a cumprir as regras previamente acordadas.

I mplemente estratégias que promovam a auto-confiança e a auto-estima.

J ogue com os aspectos cognitivo e sócio-afectivo.

L eve os alunos a serem autodoscoplinados.

M ostre entusiasmo nas actividades de ensino.

N ão rotule o aluno.

O rganize actividades extra-curriculares.

P lanifique aulas motivadoras.

Q uestione-se sobre os motivos da indisciplina.

R eforce o comportamento adequado dos alunos.

S eja coerente com os seus comportamentos e os que deseja do aluno.

T enha em conta as diferenças dos alunos.

U se métodos de ensino adequados às situações.

V isualize toda a sala de aula.

X eque-mate à "pedagogia da saliva".

Z ele por uma boa organização e gestão de aula.

5.3. *AUXILIARES DE DIAGNÓSTICO PARA ALUNOS*

A utilização de meios de observação e de auto-observação do aluno é fundamental para uma intervenção adequada do professor. Apesar da grande variedade destes instrumentos limitamo-nos a apresentar dois; acrescentaremos, ainda, uma adaptação, a partir de Olweus (2000) de um quadro de "sinais primários e secundários" que podem ajudar o professor a estar atento ao problema dos maus tratos entre iguais e contribuir assim para a sua intervenção precoce.

5.3.1. **Instrumento de auto-observação para alunos em actividades de aula**

Estas fichas de registo pretendem ser um meio para desenvolver em ti a capacidade de observar a participação que tens nas actividades de aula. A partir dos teus registos podes perceber melhor os aspectos que deves mudar para conseguires uma boa participação. Como teu professor vou ajudar-te a conseguires cada vez melhores resultados. Para preencheres basta inserires ao cimo de cada coluna a data do registo e pões uma cruz na direcção dos comportamentos que pensas que tiveste na aula nesse dia. Assim e com a minha ajuda vais observando como vai evoluindo a tua maneira de estar nas aulas.

PARA ACTIVIDADES COLECTIVAS E FASE INICIAL DA AULA

	Sim	**Não**
Cheguei à aula pontualmente		
Fiz o trabalho de casa (caso haja)		
Segui as explicações do professor com atenção		
Cumpri as orientações do professor		
Só falei na minha vez (não interrompi os outros)		

PARA ACTIVIDADES DE GRUPO

	Sim	**Não**
Falei baixinho para não perturbar os colegas dos outros grupos.		
Aceitei as ideias e opiniões dos colegas do meu grupo.		
Discuti ideias com os meus colegas, harmoniosamente.		
Colaborei com os meus colegas, aceitando as tarefas e realizando-as com empenhamento (dei o meu melhor)		
Fiz um esforço para integrar no grupo todos os colegas (não marginalizei ninguém).		

PARA ACTIVIDADES INDIVIDUAIS

	Sim	**Não**
Estive concentrado no meu trabalho.		
Empenhei-me na realização de um bom trabalho (experimentei, consultei livros ou apontamentos... dei o meu melhor)		
Trabalhei com um ritmo certo/organizei bem e conclui o trabalho.		
Ajudei um colega que estava em dificuldades.		

Os aspectos mais positivos desta aula foram:	O que gostaria que mudasse:
....	....
....	....
....	....
....	....
....	....
....	....
....	....
....	....
....	....
....	....
....	....

5.3.2. **Um contrato comportamental**

CONTRATO COMPORTAMENTAL

Quero alcançar a seguinte atitude ou comportamento: ______________________

Vantagens que obtenho se a/o alcançar: ______________________________

Pessoas que me poderão ajudar: ___________________________________

Dificuldades previsíveis que poderei encontrar: _______________________

A data limite para alcançar este objectivo será: _______________________

Data: / / Assinatura do aluno:

Comentário do educador: ____

____

____

Assinatura do educador: ________________________________

5.3.3. Sinais de alerta de situações de maus tratos entre iguais

Apresentamos aqui, adaptados a partir de Olweus (2000), quadros de sinais primários e secundários que podem ajudar o professor e os encarregados de educação a estar atentos aos problemas dos maus tratos entre iguais e contribuir, assim, para a sua intervenção precoce.

A – Ser vítima: possíveis sinais de alerta na escola

As crianças ou adolescentes que são vitimizados podem apresentar um ou vários dos seguintes sinais:

Sinais primários

- são (repetidamente) provocados de forma desagradável, chamam-lhes nomes (podem mesmo ter um apelido depreciativo), escarnecidos, amesquinhados, ridicularizados, intimidados, aviltados, ameaçados, sujeitos a ordens, dominados, vencidos;
- são sujeitos a brincadeiras e risadas de modo ridicularizante e não amistoso;
- são apanhados, empurrados (por vezes violentamente) socados, pontapeados ou espancados de qualquer outra forma (e não são capazes de se defender adequadamente);
- são envolvidos em "altercações" ou em "brigas", nas quais assumem uma atitude perfeitamente defensiva e das quais tentam afastar-se (por vezes, chorando);
- os seus livros, dinheiro ou outros pertences aparecem estragados, espalhados ou escondidos;
- aparecem com ferimentos, cortes, rasgões ou outros danos na roupa, que não têm explicação natural (e têm algumas características gerais listadas a seguir).

Sinais secundários

- estão muitas vezes isolados ou excluídos do grupo de pares durante os intervalos; parece não terem um único bom amigo na classe;
- são os últimos a ser escolhidos em jogos de equipa;

- tentam ficar próximo do professor ou de outros adultos durante os intervalos;
- têm dificuldade em falar frente à turma e dão uma impressão de ansiedade e de insegurança;
- parecem angustiados, infelizes, deprimidos, chorosos;
- apresentam uma súbita ou gradual deterioração no trabalho escolar.

(Adaptado de Olweus, 2000)

A – Ser vítima: possíveis sinais de alerta na escola

As crianças ou adolescentes que são vitimizados podem apresentar um ou vários dos seguintes sinais:

Sinais primários

- são (repetidamente) provocados de forma desagradável, chamam-lhes nomes (podem mesmo ter um apelido depreciativo), escarnecidos, amesquinhados, ridicularizados, intimidados, aviltados, ameaçados, sujeitos a ordens, dominados, vencidos;
- são sujeitos a brincadeiras e risadas de modo ridicularizante e não amistoso;
- são apanhados, empurrados (por vezes violentamente) socados, pontapeados ou espancados de qualquer outra forma (e não são capazes de se defender adequadamente);
- são envolvidos em "altercações" ou em "brigas", nas quais assumem uma atitude perfeitamente defensiva e das quais tentam afastar-se (por vezes, chorando);
- os seus livros, dinheiro ou outros pertences aparecem estragados, espalhados ou escondidos;
- aparecem com ferimentos, cortes, rasgões ou outros danos na roupa, que não têm explicação natural (e têm algumas características gerais listadas a seguir).

Sinais secundários

- estão muitas vezes isolados ou excluídos do grupo de pares durante os intervalos; parece não terem um único bom amigo na classe;

- são os últimos a ser escolhidos em jogos de equipa;
- tentam ficar próximo do professor ou de outros adultos durante os intervalos;
- têm dificuldade em falar frente à turma e dão uma impressão de ansiedade e de insegurança;
- parecem angustiados, infelizes, deprimidos, chorosos;
- apresentam uma súbita ou gradual deterioração no trabalho escolar.

(Adaptado de Olweus, 2000)

B – Ser vítima: possíveis sinais de alerta em casa

Sinais primários

- chegam da escola com a roupa rasgada ou em desalinho, com livros estragados (e têm alguma das características gerais listadas em A);
- aparecem com ferimentos, cortes, rasgões ou outros danos na roupa, que não têm uma explicação natural (e têm alguma das características gerais listadas em A);

Sinais secundários

- não trazem colegas de turma ou outros amigos a casa depois da escola e raramente passam tempo em casa de colegas;
- podem nem sequer ter um único amigo com o qual partilhar tempo livre (jogar, fazer compras, eventos musicais ou desportivos, falar ao telefone, etc.);
- raramente ou mesmo nunca são convidados para festas e eles próprios não se interessam pela organização das suas próprias festas (porque esperam que ninguém venha);
- parecem receosos ou relutantes em ir para a escola de manhã, têm pouco apetite, repetidas dores de cabeça ou dores de estômago (particularmente de manhã);
- escolhem um percurso “ilógico” para ir e vir da escola;
- têm um sono desassossegado, com pesadelos frequentes; podem mesmo chorar durante o sono;

- perdem o interesse pelo trabalho escolar e apresentam cada vez pior aproveitamento;
- parecem infelizes, tristes, deprimidos ou mostram inesperadas mudanças de humor, com irritabilidade e súbitas explosões emocionais;
- pedem ou desviam dinheiro extra da família (para dar aos seus agressores).

(Adaptado de Olweus, 2000)

A – Ser vítima: possíveis sinais de alerta na escola

As crianças ou adolescentes que são vitimizados podem apresentar um ou vários dos seguintes sinais:

Sinais primários

- são (repetidamente) provocados de forma desagradável, chamam-lhes nomes (podem mesmo ter um apelido depreciativo), escarnecidos, amesquinhados, ridicularizados, intimidados, aviltados, ameaçados, sujeitos a ordens, dominados, vencidos;
- são sujeitos a brincadeiras e risadas de modo ridicularizante e não amistoso;
- são apanhados, empurrados (por vezes violentamente) socados, pontapeados ou espancados de qualquer outra forma (e não são capazes de se defender adequadamente);
- são envolvidos em "altercações" ou em "brigas", nas quais assumem uma atitude perfeitamente defensiva e das quais tentam afastar-se (por vezes, chorando);
- os seus livros, dinheiro ou outros pertences aparecem estragados, espalhados ou escondidos;
- aparecem com ferimentos, cortes, rasgões ou outros danos na roupa, que não têm explicação natural (e têm algumas características gerais listadas a seguir).

Sinais secundários

- estão muitas vezes isolados ou excluídos do grupo de pares durante os intervalos; parece não terem um único bom amigo na classe;

- são os últimos a ser escolhidos em jogos de equipa;
- tentam ficar próximo do professor ou de outros adultos durante os intervalos;
- têm dificuldade em falar frente à turma e dão uma impressão de ansiedade e de insegurança;
- parecem angustiados, infelizes, deprimidos, chorosos;
- apresentam uma súbita ou gradual deterioração no trabalho escolar.

(Adaptado de Olweus, 2000)

B – Ser vítima: possíveis sinais de alerta em casa

Sinais primários

- chegam da escola com a roupa rasgada ou em desalinho, com livros estragados (e têm alguma das características gerais listadas em A);
- aparecem com ferimentos, cortes, rasgões ou outros danos na roupa, que não têm uma explicação natural (e têm alguma das características gerais listadas em A);

Sinais secundários

- não trazem colegas de turma ou outros amigos a casa depois da escola e raramente passam tempo em casa de colegas;
- podem nem sequer ter um único amigo com o qual partilhar tempo livre (jogar, fazer compras, eventos musicais ou desportivos, falar ao telefone, etc.);
- raramente ou mesmo nunca são convidados para festas e eles próprios não se interessam pela organização das suas próprias festas (porque esperam que ninguém venha);
- parecem receosos ou relutantes em ir para a escola de manhã, têm pouco apetite, repetidas dores de cabeça ou dores de estômago (particularmente de manhã);
- escolhem um percurso "ilógico" para ir e vir da escola;
- têm um sono desassossegado, com pesadelos frequentes; podem mesmo chorar durante o sono;

- perdem o interesse pelo trabalho escolar e apresentam cada vez pior aproveitamento;
- parecem infelizes, tristes, deprimidos ou mostram inesperadas mudanças de humor, com irritabilidade e súbitas explosões emocionais;
- pedem ou desviam dinheiro extra da família (para dar aos seus agressores).

(Adaptado de Olweus, 2000)

C – Ser agressor: possíveis sinais primários de alerta

As crianças ou adolescentes que desencadeiam situações de maus-tratos para com os seus pares podem ser frequentemente observadas na escola a praticar as acções que foram enunciadas em A como sinais primários de vitimização.

Os alunos agressores apresentam uma ou mais das características gerais seguintes:

- podem ser fisicamente mais fortes do que os seus colegas de turma e do que as suas vítimas em particular; podem ser da mesma idade ou um pouco mais velhos do que as suas vítimas; são fisicamente eficientes em jogos, desportos e brigas (aplica-se em particular aos rapazes);
- têm grande necessidade de dominar e de vencer outros colegas, através do poder ou da ameaça e da submissão; podem mostrar-se fanfarrões acerca da sua efectiva ou imaginada superioridade sobre os outros colegas;
- são impulsivos, facilmente se zangam e têm baixa tolerância à frustração; têm dificuldade em aceitar regras e tolerar dificuldades e esperas e podem tentar ganhar vantagem "fazendo batota";
- geralmente são oposicionistas, provocadores e agressivos para com os adultos (incluindo professores e pais) e podem também amedrontar os adultos (dependendo da idade e da força física do jovem); falam bem de si próprios acerca de "situações difíceis";
- são vistos como duros (tenazes), obstinados e mostram pouca empatia por aqueles que são vitimizados;

- não são ansiosos ou inseguros e aparentemente têm uma opinião relativamente positiva de si próprios (na média ou acima da média de auto-estima);
- envolvem-se precocemente (quando comparados com os seus pares) em outros comportamentos anti-sociais, incluindo roubo, vandalismo e narcotráfico; associam-se a "más companhias";
- estão na média, acima ou abaixo da média de popularidade entre os seus colegas, mas frequentemente têm o apoio pelo menos de um pequeno número de colegas; na primária são mais populares do que nos anos seguintes de escolaridade;
- relativamente ao aproveitamento escolar podem estar na média, acima ou abaixo da média nos primeiros ciclos de escolaridade, enquanto que nos seguintes usualmente (mas não necessariamente) apresentam cada vez mais baixo aproveitamento e desenvolvem uma atitude negativa face à escola.

(Adaptado de Olweus, 2000)

BIBLIOGRAFIA

AFONSO, A. & Estevão C. (1999).*Projectos educativos, planos de actividades e regulamentos internos. Avaliação de uma experiência.* Porto: Edições ASA.

ALMEIDA, A. (2000). *As relações entre pares na idade escolar.* Braga: Universidade do Minho.

AMADO, J. (1989). *A indisciplina numa Escola Secundária* (Análise de Participações Disciplinares). Lisboa: Faculdade de Psicologia e de Ciências da Educação. Universidade de Lisboa. (Dissertação de Mestrado, não publicada).

AMADO, J. (1998). *Interacção Pedagógica e Indisciplina na Aula – Um estudo de características etnográficas.* Lisboa: Faculdade de Psicologia e de Ciências da Educação. Universidade de Lisboa. (Tese de Doutoramento, versão não publicada).

AMADO, J. (2000a). Interacção pedagógica e injustiça na aula. *In* M.ª T. Medeiros (Ed.) *Adolescência: Abordagens, Investigação e Contextos de Desenvolvimento* (pp. 120-145). Ponta Delgada: Direcção Regional da Educação.

AMADO, J. (2000b). O nascimento de uma relação: estratégias de professores e alunos na aula de "apresentação". *Cadernos de Educação*, Faculdade de Educação da Universidade Federal de Pelotas (Brasil), n.° 14, pp. 19-36.

AMADO, J. (2000c). *A construção da disciplina na escola. Suportes teórico-práticos.* Porto: Edições ASA.

AMADO, J. (2001). *Interacção Pedagógica e Indisciplina na Aula.* Porto: Edições ASA.

AMADO, J. (2005a). Características gerais da situação de aula. Uma reflexão necessária para a formação de professores. *In* José Carlos Morgado e Maria Palmira Alves (Org.), *Mudanças educativas e curriculares... e os Educadores/Professores?* (pp. 201-213). Braga: CIEd, Universidade do Minho.

AMADO, J. (2005b). Alunos perturbadores: identidade e relações sociais. In C. Vieira *et al.* (Org,). *Ensaios sobre o Comportamento Humano. Estudos nacionais e internacionais* (pp. 303-326). Coimbra: Almedina

AMADO, J. (2005c). *Observação e Análise da Relação Pedagógica.* Relatório de disciplina – Concurso para Professor Associado. Faculdade de Psicologia e de Ciências da Educação da Universidade de Coimbra (Texto não publicado).

AMADO, J. (2007a). Prefácio. In Albertina Pereira. *PIEF – Um Programa de Educação e Formação*. Lisboa: Ministério do Trabalho e da Solidariedade Social.

AMADO, J. (2007b). Angústias, dilemas e práticas docentes perante alunos em risco... *Revista Portuguesa de Pedagogia*, Ano 41, n.º 1, pp. 121-142

AMADO, J. & Estrela, M.ª T. (2007). Indisciplina, violência e delinquência na escola – Compreender e prevenir. In A. C. Fonseca, M. J. Seabra--Santos & M.F.F. Gaspar, (Org.). *Psicologia e Educação – Novos e Velhos Temas* (pp. 334-363). Coimbra: Almedina

AMADO, J. & Freire, I. (2002a). A Indisciplina na Escola – uma revisão da investigação, *in Investigar em Educação, Revista da Sociedade Portuguesa de Ciências da Educação*, Vol. 1, n.º 1, pp. 179-223.

AMADO, J. S. & Freire, I. P. (2002b). Indisciplina e violência na escola – Compreender para prevenir. Porto: Edições ASA.

AMADO, J. & Freire, I. (2005). A gestão da sala de aula. *In* Guilhermina Miranda e Sara Bahia (orgs.) *Psicologia da Educação. Temas de Desenvolvimento, Aprendizagem e Ensino* (pp. 311-331). Lisboa: Relógio D'Água.

AMADO, J., Limão, I., Ribeiro, P. & Pacheco, V. (2003). *A escola e os alunos institucionalizados*. Lisboa: Ministério da Educação.

AMADO, J. & Mateus, J. (2002). A Organização de um Conselho de Turma Disciplinar. In A. Cosme e R. Trindade (Org.) *Manual de Sobrevivência para Professores*. Porto: Edições ASA, pp. 57-64.

AQUINO, J. G. (2000). *Do Cotidiano Escolar – Ensaios sobre a ética e seus avessos*. S. Paulo: Summus.

AVANZINI, G. (s/d). *O Insucesso Escolar*. Lisboa: Ed. Pórtico.

BAGINHA, L. (1997). *Fenómenos de grupo e (In)disciplina na Aula*. Faculdade de Psicologia e de Ciências da Educação da Universidade de Lisboa. (Dissertação de Mestrado).

BARRA DA COSTA, J. M. (2002). Prefácio. *In* J. COSTA & S. SOARES (2002). *O gang e a escola. Agressão e contra-agressão nas margens de Lisboa*. Lisboa: Edições Colibri.

BELL, L. C. & Stefanich, G. P. (1984). Building Effective Discipline Using the Cascade Model. *The Clearing House*, Vol. 58, N.º 3, pp. 134-137.

BOULTON, M. J. (1998). Understanding and preventing bullying in the junior school playground. *In* Smith, P. K. & Sharp, S. (Eds.), *School Bullying. Insights and Perspectives* (pp. 132-159). London: Routldege.

BOURDIEU, P. & Champagne, P. (1993). Les exclus de l' intérieur. *In* Bourdieu, P. (Ed.). *La Misère du Monde* (pp. 597-603). Paris: Seuil.

BRENDTRO, L. & Long, N. (1995). Breaking the Cycle of Conflict. *Educational Leadership*, February, pp. 52-56.

BRENDTRO, L. K. & Banbury, J. (1994). Tapping the Strengths of Oppositional Youth: Helping Kevin Change. *Journal of Emotional and Behaviour Problems*, Summer, pp. 41-45.

BRITO, M. S. (1986). Identificação de Episódios de Indisciplina em Aulas de Educação Física no Ensino Preparatório. Lisboa: ISEF – Universidade Técnica de Lisboa (Dissertação de Mestrado não publicada).

BROPHY, J. & Good, T. (1974). *Teacher-Student Relationships*. New York: Holt, Rinehart and Winston, Inc.

BURNS, J. (1985). Discipline: why does it continue to be a problem? Solutions is in changing school culture. *NASSP Bulletin*, Vol. 69, n.° 4.

CAETANO, A. P. & Freire, I. (2006). La Médiation Scolaire comme Stratégie d'Intervention auprès des Jeunes à Risque, European Conference on Educational Research. ECER, Genève. *Education on-line* http://www.leeds.ac.uk/educol/documents/158725.htm

CAETANO, A. P. (1992). *Dilemas dos Professores – Um Estudo Exploratório*. Lisboa: Faculdade de Psicologia e de Ciências da Educação da Universidade de Lisboa. (Dissertação de Mestrado não publicada).

CALDEIRA, S. (2000). *A Indisciplina em Classe: contributos para a abordagem preventiva*. Ponta Delgada: Universidade dos Açores (Tese de doutoramento não publicada).

CALDEIRA, S. (2007; Org.). *(Des)ordens na Escola. Mitos e Realidades*. Coimbra: Quarteto

CAMPOS DA SILVA, L. (2007). *Disciplina e indisciplina na aula: uma perspectiva sociológica*. Minas Gerais: Universidade Federal de Minas Gerais (Tese de doutoramento orientada por Maria Alice Nogueira. Não publicada).

CANGELOSI, J. S. (1997). *Classroom Management Strategies. Gaining and Maintaining Students' Cooperation*, Longman, 3rd. ed.

CARITA, A. (1993). O professor e a sua representação do aluno. *Colóquio Educação e Sociedade*, n.° 4, pp. 41-95.

CARITA, A. (2005). *Conflito, moralidade e conflito na aula*. Porto: Campo das Letras

CARVALHO, E. (2007). *Aprendizagem e satisfação – Perspectivas de alunos do 2.° e 3.° ciclo do ensino básico*. Lisboa: Faculdade de Psicologia e de Ciências da Educação da Universidade de Lisboa (tese de Mestrado, orientada por João Amado. Não publicada).

CARVALHOSA, S. (2008). *Prevention of bullying in schools: an ecological model*. Faculdade de Psicologia da Universidade de Bergen, Noruega (tese de doutoramento, não publicada).

CEREZO RAMIREZ, F. (1999). *Conductas agresivas en la edad escolar. Aproximación teórica y metodológica. Propuestas de intervención.* Madrid: Ediciones Pirámide.

CHARNEY, R. (1993). Teaching Children Nonviolence. *Journal of Emotional and Behaviour Problems*, 2 (1), pp. 46-48.

COHEN, A. K. (1971). *La Déviance*. Gembloux: Ed. Duculot.

CORREIA, L. M. (1991). *Dificuldades de Aprendizagem: Contributos para a clarificação e unificação dos conceitos*: Braga: Associação dos Psicólogos Portugueses.

COSTA, M. E. & Vale, D. (1998). *A violência nas escolas*. Lisboa: Instituto de Inovação Educacional.

COVENTRY, G. (1988). Perspectives on Truancy Reconsidered. *In* Slee, R. (Ed.). *Discipline and Schools* (pp. 81-131). Melbourne: The Macmillan Company of Australia Pty Ltd.

COWIE, H. (1998). *La ayuda entre iguales. Cuadernos de Pedagogia*, N.º 270, Junio, pp. 60-68.

COWIE, H. & Sharp, S. (1998). Takling bullying through the curriculuim. *In* Smith, P. K. & Sharp, S. (Eds.), *School Bullying. Insights and Perspectives* (pp. 84-107). London: Routldege.

COWIE, H. *et al.* (1997). Bullying: Pupil Relatonships. *In* Jones, N. & Jones, E. B. (Eds.), *Learning to Behave. Curriculum and Whole School Management Approaches to Discipline* (pp. 85-101). London: Kogan Page.

CRÉTON, H., Wubbels, T. & Hooymayers, H. (1993). A Systems Perspective on Classroom Communication. *In* Wubbels, T. & Levy, J. (Ed.). *Do you know what you look like? Interpersonal Relationships in Education*. London: Falmer Press.

DEBARDIEUX, E. (1999). Designer et punir. *In* Meuret, D. (Ed.) La justice du Systéme Éducatif (pp. 195-212). Bruxelles: DeBoeck Université.

DENSCOMBE, M. (1985). *Classroom Control – A Sociological Perspective*. London: George Allen & Unwin.

DOMINGUES, M. G. (2006). *O Aluno Mediador no 3.º ciclo do Ensino Básico – representações dos seus pares*. Faculdade de Psicologia e de Ciências da Educação da Universidade de Lisboa (dissertação de mestrado).

DUBET, F. & Martuccelli, D. (1996). *A l'École – Sociologie de l'expérience scolaire*. Paris: Seuil.

DUBET, F. (1991). *Les Lycéens*. Paris: Editions du Seuil.

DUBET, F. (2000). *Violence à l'École*. *In* F. Dubet & N. Vettenberg, N. (Org.). *Violence á l'École*. Belgique: Conseil de l'Europe.

DUMAS, J. (2000). *L'Enfant Violent: Le connaître, l'aider, l'aimer*. Paris: Bayard.

Espírito, J. A. (1994). *Relação entre representações e comportamentos de indisciplina em alunos do 7.° e 9.° anos de escolaridade*. Lisboa: Faculdade de Psicologia e de Ciências da Educação da Universidade de Lisboa (dissertação de mestrado).

Estrela, A. (1999). O tempo e o lugar das Ciências da Educação. Porto: Porto Editora.

Estrela, M.ª T. (1986). *Une Étude sur l'Indiscipline en Classe*. Lisboa: INIC.

Estrela, M.ª T. (2002). *Relação Pedagógica, Disciplina e Indisciplina na Sala de Aula*. Porto: Porto Editora.

Estrela, M.ª T. (1995). Valores e normatividade do professor na sala de aula. *Revista de Educação*, Vol. V, n.° 1, Jun, pp. 65-77.

Estrela, M.ª T. & Amado, J. (2000). Indisciplina, Violência e Delinquência na Escola. *Revista Portuguesa de Pedagogia*, Ano XXXIV, n.° 1-3, pp. 249-271.

Everhart, R. B. (1987). Understanding student disruption and classroom control. *Harvard Educational Review*, Vol. 57, n.° 1, pp. 77-83.

Felouzis, G. (1994). *Le Collège au Quotidien*. Paris: PUF.

Ferreira, A. & Pereira, B. (2001). Os materiais lúdicos no recreio e a prevenção do *bullying* na escola. *In* Pereira, B. e Pinto, A. P. (coord.), A *escola e a criança em risco. Intervir para prevenir* (pp. 235-247). Porto: Edições ASA.

Fonseca, A. C. (2001). A evolução do comportamento anti-social. In *Problemas emocionais e comportamento anti-social* (pp. 9-33). Coimbra: C. de Psicopedagogia da Universidade de Coimbra.

Fonseca, A. C. (2002). Comportamento anti-social e família: novas abordagens para um velho problema. In A.C. Fonseca (Ed.). *Comportamento anti-social e família. Uma abordagem científica*. Coimbra: Almedina.

Fonseca, A. C. (2007). Importância dos primeiros anos de vida – O exemplo dos comportamentos agressivos In A.C. Fonseca, M. J. Seabra-Santos & M.F.F. Gaspar, (Org.). *Psicologia e Educação – Novos e Velhos Temas* (pp. 334-363). Coimbra: Almedina

Fonseca, A. C., Taborda Simões, M. C. & Formosinho, M. D. (2000). Retenção escolar precoce e comportamentos anti-sociais. *Revista Portuguesa de Pedagogia*, Ano XXXIV, n.° 1, 2, 3, pp. 323-340.

Fonseca, V. (1999). *Insucesso escolar – Abordagem psicopedagógica das dificuldades de aprendizagem*. Lisboa: Editora Âncora.

Fontana, D. (1987). *Classroom Control. Understanding and guiding classroom behaviour*. London: The British Psychological Society and Methuen.

Foster, P. *et al.* (1990). A Whole-school Approach to Bullying. *Pastoral Care*, September, pp. 13-17.

FOUCAULT, M. (1987). *Vigiar e Punir.* O Nascimento das Prisões. Petrópolis: Vozes.

FREIBERG, H. J. *et al.* (1995). Effects of a Classroom Management Intervention on Student Achievement in Inner-City Elementary Schools. *Educational Research and Evaluation*, Vol. 1, No 1, pp. 36-66.

FREIRE, I. (1990). *Disciplina e Indisciplina na Escola. Perspectivas de Alunos e Professores de uma Escola Secundária.* Faculdade de Psicologia e Ciências da Educação da Universidade de Lisboa. (dissertação de mestrado).

FREIRE, I. (2001). Percursos Disciplinares e Contextos Escolares – Dois estudos de caso. Lisboa: Faculdade de Psicologia e de Ciências da Educação da Universidade de Lisboa (tese de doutoramento).

FREIRE, I. (2007). Violência nas escolas – que desafios educativos? Seminário *Bullying, Violência e Agressividade em Contexto Escolar,* organizado pela Associação de Antigos Alunos da Faculdade de Psicologia e de Ciências da Educação da Universidade de Lisboa, CD-Rom.

FREIRE, I. & Amado, J. (2008). Managing and handling indiscipline in schools – a research project. Comunicação apresentada à *4th World Conference: Violence in School and Public Policies.* Organizado pelo Observatório Internacional da Violência na Escola, FMH-UNT e IAC, com lugar na Fundação Calouste Gulbenkian, nos dias 23-25 de Junho de 2008. (A publicar).

FREIRE, I. & Caetano, A. P. (2005). Mediation Devices in Schools – from the Class Assemblies to the Whole School. A multi-case study. European Conference on Educational Research, Dublin, *Education on-line* http://www.leeds.ac.uk/educol/documents/158725.htm

FREIRE, I., Veiga Simão, A. M. & Ferreira, A. S. (2006). O estudo da violência entre pares no 3.° ciclo do ensino básico – um questionário aferido para a população escolar portuguesa. *Revista Portuguesa de Educação*, Vol. 19, n.° 2, pp. 157-183.

GASPAR, J. (2006). *Uma experiência de gestão de conflitos numa escola básica dos 2.° e 3.° ciclos. Um estudo de investigação-acção.* Faculdade de Psicologia e de Ciências da Educação da Universidade de Lisboa (dissertação de mestrado).

GASPAR, F. (2001). Educação pré-escolar e prevenção de problemas emocionais e de comportamento anti-social. *In Problemas emocionais e comportamentos anti-sociais.* Coimbra: FCT – Centro de Psicopedagogia da Universidade de Coimbra.

GENTZBITTEL, M. (1993). *A causa dos alunos.* S. Paulo: Summus Editorial.

GORDILLO, I. (1993). Reconceptualização Teórica do Comportamento Comunicativo Intencional do Docente: Nova Perspectiva de Análise. *Revista de*

Comunicação e Linguagens (O não-verbal em questão), n.° 17/18, Lisboa, Edições Cosmos, pp. 197-211.

GORDO, I. (2005). *Abandono e reinserção no ensino básico no concelho de Leiria. A voz dos protagonistas*. Lisboa: Faculdade de Psicologia e de Ciências da Educação da Universidade de Lisboa (tese de mestrado).

GOUVEIA-PEREIRA, M.ª (2008). *Percepções de Justiça na Adolescência. A Escola e a legitimação das Autoridades Institucionais*. Lisboa: Fundação C. Gulbenkian.

HAMMERSLEY, M. (1980). On Interaccionist Empiricism. *In* Woods, P. (Ed.). *Pupil Strategies: Explorations in the Sociology of the School* (pp. 198-213). London: Croom Helm.

HARGREAVES, D. H. (1986). *Las relaciones interpersonales en la educación*. Madrid: Narcea.

HARGREAVES, D. H., Hester, S. & Mellor, F. (1975). *Deviance in Classrooms*. London: Routledge and Kegan Paul.

HAWKINS, D., Doueck, H. & Lishner, D. (1988). Changing Teaching Practices in Mainstream Classrooms to Improve Bonding and Behavior of Low Achievers. *American Educational Research Journal*, Vol. 25, n.° 1, pp. 31-50.

HAWLEY, C. (1997). What is your classromm management profile? Indiana University – Center for Adolescent Studies. Disponível em: http://www.cbv.ns.ca/sstudies/gen3.html

HENRIQUES, S. (2007). *Indisciplina e Clima de escola. Estudo de caso n uma escola EB2,3/S*. Faculdade de Psicologia e de Ciências da Educação da Universidade de Lisboa (dissertação de mestrado).

HIGGINS, C. (1998). Improving the school ground environment as an anti-bullying intervention. *In* Smith, P. K. & Sharp, S. (Eds.), *School Bullying. Insights and Perspectives* (pp. 160-192). London: Routldege.

IMBERT, F. (1983). Si tu pouvais changer l'école – L'enfant stratège. Paris: Le Centurion.

JOHNSON, D. W. & Johnson, R. T. (1995). Why Violence Prevention Programs Don't Work – and What Does. *Educational Leadership*, February, pp. 63-67.

JOHNSON, L. & Bany, M. (1974). *Conduite et animation de la classe*. Paris: Dunod.

KOCHENDERFER, B. J. & Ladd, G.W. (1997). Victimized children's responses to peers' aggression: Behaviors associated with reduced versus continued victimization. *Development and Psychopathology*, 9, pp. 59-73.

KOUNIN, J. (1977). *Discipline and Group Management*. New York: Robert E. Krieger Publishing.

LEES, M. H. *et al*. (1994). Research Review: Gang Violence and Prevention, Washington State University, http://coopext.cahe.wsu.edu/~sherfey/issue4c.htm

LOPES, J. (1998). Indisciplina, problemas de comportamento e problemas de aprendizagem no ensino básico. *Revista Portuguesa de Educação*, Vol. 11, n.° 2, pp. 57-81.

LOPES, J. T. (1997). *Tristes Escolas – Práticas culturais estudantis no espaço escolar urbano*. Porto: Ed. Afrontamento.

LOURENÇO, A. & PAIVA, M.ª O. (2004). *Disrupção Escolar – Estudos de caso*. Porto: Porto Editora.

MACHARGO SALVADOR, J. M. (1991). *El Profesor y el Autoconcepto de sus Alumnos*. Madrid: Ed. Escuela Española, S.A.

MARÇAL, C. M. (2005). Percepções de Justiça, Legitimação da Autoridade e Exercício de Cidadania no Contexto escolar. Lisboa: ISPA (Tese de Mestrado orientada por Maria Gouveia Pereira. Não publicada).

MCLAREN, P. (1992). *Rituais na Escola*. *Petrópolis*: Editorial Vozes.

MARQUES, A. B. (2001). A intervenção no recreio e a prevenção de comportamentos anti-sociais. *In* Pereira, B. e Pinto, A. P. (Eds.). *A escola e a criança em risco. Intervir para prevenir* (pp. 183-196). Porto: Edições ASA.

MARTINS, M. J. (2003). *Agressão e vitimação entre adolescentes em contexto escolar: variáveis sociodemográficas, psicossociais e socioeconómicas*. Universidade da Estremadura/Universidade de Lisboa (tese de doutoramento).

MARUJO, H. (1992). Factores de risco na infância: o despiste precoce e acção educativa. *Psicologia*, Vol. VIII, 2, pp. 185-1992.

MARUJO, H., Neto, L. M & Perloiro, M.ª F. (1999). *Educar para o op*timismo. Lisboa: Editorial Presença.

MATA, I. (2000). Sucessos e insucessos de uma experiência pedagógica com jovens em risco de exclusão escolar. Lisboa: Faculdade de Psicologia e de Ciências da Educação da Universidade de Lisboa (tese de mestrado).

MAXWELL, W. (1987). Teachers attitudes towards disruptive behaviour in secondary schools. *Educational Review*, Vol. 39, n.° 3, 203-216.

MAYA, M. J., (2000). *A Autoridade do Professor. O que Pensam Alunos, Pais e Professores*. Lisboa: Texto Editora.

MENDES, J-M. (2001). *Resolução de conflitos na sala de aula: critérios para a sua avaliação*, Instituto Superior de Psicologia Aplicada (tese de mestrado).

MERLE, P. (1999). Equité et Notation : l'Experience subjective des lycéens. *In*

D. Meuret (Ed.). *La justice du systéme educatif* (pp. 213-226). Bruxelles: DeBoeck Univeristé.

Moffitt, T. & Caspi, A. (2002). Como prevenir a continuidade intergeracional do comportamento anti-social. In A. C. Fonseca (Org). *Comportamento anti-social e família. Uma abordagem científica.* Coimbra: Almedina.

Montagner, H. (1983). *Les Rythmes de l'enfant et de l'adolescent*, Stock. Paris: Lawrence Pernod.

Musitu Ochoa, G. (2005). *Funcionamiento familiar, socialización familiar y ajuste en la adolescencia.* In M.ª T. López López (Org.). La familia en el proceso educativo. Madrid: Cinca.

Musitu Ochoa, G.; Martinez Ferrer, B, Estévez López, E. & Jimenez Gutiérrez, J. (2006). La violence scolaire en Espagne: principaux axes de recherche et intervention. In T. Estrela & L. Marmoz (Org.) *Indiscipline et violence à l'école.* Paris: L'Harmatan.

Nascimento, M. J. (2007). *Pensamento e práticas disciplinares de professores.* Lisboa: Educa.

Nascimento, M. J. & Freire, I. (2007). *A carreira, o pensamento e a acção dos professores no campo disciplinar. Síntese dos dados. In* M. J. Nascimento, *Pensamento e práticas disciplinares de professores* (pp. 153-165). Lisboa: Educa.

Oliveira, M. H. (1998). *A Indisciplina – Uma análise a partir da perspectiva do professor.* Braga: Universidade do Minho (dissertação de mestrado).

Oliveira, M. T. (2002). *A Indisciplina em Aulas de Educação Física.* Viseu: Instituto Superior Politécnico de Viseu.

Olweus, D. (2000). *Bullying at School.* Oxford: Blackwell Publishers, Ltd.

Ortega Ruiz, R. (2003). Programas educacionais de prevenção da violência escolar na Espanha: o modelo Sevilha Antiviolência Escolar (SAVE), *In* E. Debardieux *et al.* (Org.). *Desafios e alternativas: violência nas escolas*, pp. 79-110. Brasília: Ed. UNESCO.

Ortega Ruiz, R. & Mora-Merchán, J. A. (1998). El problema del maltrato entre iguales. *Cuadernos de Pedagogia*, N.° 270, Junio, 46-50.

Ortega Ruiz, R. (1998). Intervención educativa. El Proyeto Sevilla Anti-Violencia Escolar. *Cuadernos de Pedagogia*, N.° 270, Junio, 60-65.

Passos, L. F. (1996). A indisciplina e o cotidiano escolar: novas abordagens, novos significados. *In* J. G. Aquino. *Indisciplina na Escola. Alternativas Teóricas e Prática.* S. Paulo: Summus Editora.

Peralva, A. (1997). Des collégiens et de la violence. *In* B. Charlot & J-C. Émin (Org.). *Violence à l'école. État des savoirs.* Paris : Armand Colin.

Pereira, A. (2007). *PIEF – Um Programa de Educação e Formação.* Lisboa: Ministério do Trabalho e da Solidariedade Social.

Pereira, B. (2002). *Para uma Escola sem Violência – Estudo e prevenção de prá-*

ticas agressivas entre crianças. Fundação Calouste Gulbenkian – Fundação para a Ciência e Tecnologia.

PEREIRA, B., Almeida, A., Valente, L. & Mendonça, D. (1996). O "bullying" nas escolas portuguesas: análise de variáveis fundamentais para a identificação do problema. *In* L. Almeida, J. Sivério & S. Araújo (Eds.). *Actas do II Congresso Galaico-Português de Psicopedagogia* (pp. 71-81). Braga: Universidade do Minho.

PEREIRA, B. & Mendonça, D. (1995). O "bullying" na escola. Análise das prá-ticas agressivas por ano de escolaridade. *Livro de Actas do 1.° Encontro de Educação e Cultura do Concelho de Oeiras*, pp. 39-57.

PEREIRA, B., Neto, C. & Smith, P. (1997). Os espaços de recreio e a prevenção do *bullying* na Escola. In C. Neto (Ed.). *Jogo & Desenvolvimento da Criança* (238-257). Lisboa: Edições FMH-U.T.L.

PIANTA, R. C. *et al.* (1995). The first two years of school: Teacher-child relationships and deflections in children's classroom adjustment. *Development and Psychopathology*, 7, 295-312.

PINTO, H. R. & Taveira, M.ª C. (2002). Educabilidade vocacional e papel de estudante. Comunicação ao XI colóquio AFIRSE – section portugaise – indisciplina e violência na escola. Faculdade de Psicologia e de Ciências da Educação da Universidade de Lisboa.

PIRES, M. F. (2001). Práticas de agressividade/violência/vitimação no espaço escolar. *In* B. Pereira, B. e Pinto, A. P. (Eds.). *A escola e a criança em risco. Intervir para prevenir* (pp. 203-224). Porto: Ed. ASA.

POLK, K. (1988). Education, Youth Unemployment and Student Resistance. *In* Slee, R. (Ed). *Discipline and Schools* (pp. 109-130). Melbourne: The Macmillan Company of Australia.

POLLARD, A. (1989). An ethnographic analysis of classroom conflict. *In* Tattum, D. (Ed.). *Disruptive Pupil Management* (pp. 107-121). London: David Fulton Publishers.

POSTIC, M. (1984). *A Relação Pedagógica*. Coimbra: Coimbra Editora.

RAPOSO, N., Festas, I. & Bidarra, G. (1998). *Dificuldade de Desenvolvimento e Aprendizagem*. Lisboa: Universidade Aberta

REBELO, J. (1986). Para uma delimitação da noção de criança hiperactiva. *Revista Portuguesa de Pedagogia*, Ano XX, pp. 203-218.

REID, I. (1986). *The Sociology of School and Education*. A Fontana Original.

ROJO, D., Sousa, M.ª dos Santos, *et al.* (s/d). *G.P.S. – Gerar Percurso Sociais. Programa de prevenção e reabilitação para jovens com comportamento social desviante*. Equal, U.E., Ministério do Trabalho e da Solidariedade Social.

ROBINSON, W. P. (1978). O desinteresse escolar no ensino secundário. *Análise Psicológica*, n.° 1, Vol. II, pp. 23-32.

RODRIGUES, M. N. (2007). *Construção da Disciplina e Clima de Escola (Estudo de caso no 1.° ciclo de uma Escola Básica Integrada)*. Faculdade de Psicologia e de Ciências da Educação da Universidade de Lisboa (dissertação de mestrado).

RODRIGUES, P. (1999). *Numa turma: conhecer para intervir*. Coimbra: Instituto Superior Miguel Torga (Relatório de estágio não publicado).

ROSADO, A. & Januário, N. (1999). Percepção de incidentes disciplinares. *Ludens*, Vol. 16, n.° 3, pp. 17-33.

ROSENHOLTZ, S. J. (1989). *Teachers' Workplace. The Social Organization of Schools*. New York: Longman Inc.

SEMMENS, R. (1988). A proposal for maintening all students in the regular classroom. *In* Slee, R. (Ed.). *Discipline and Schools* (pp. 48-60). Melbourne: The Macmillan Company of Australia Pty Ltd.

SHORT, P. M. *et al*. (1994). *Rethinking Student Discipline. Alternatives That Work*. California: Corwin Press, Inc..

SHWAB, D. & Shwab, B. (2007) (Org.). *Respect and Disrespect: Cultural and Developmental Origins: New Directions for Child and Adolescent Development*. New York: Jossey-Bass.

SHWARTZ, D. *et al*. (1998). Peer group victimization as a predictor of children's behavior problems at home and in school. *Development and Psychopathology*, 10, 87-99.

SIMÕES, M. & Serra, A. V. (1987). A importância do auto-conceito na aprendizagem escolar. *Revista Portuguesa de Pedagogia*. Ano XXI, 233-252.

SLAVIN, R. E. (1991). Synthesis of the Research on Cooperative Learning. *Educational Leadership*, February, pp. 71-82.

SMITH, P. (1997). Lutar a Brincar e Lutar a Sério: Perspectivas sobre a sua Relação. *In* C. Neto (Ed.). *Jogo & Desenvolvimento da Criança* (23-31). Lisboa: Edições FMH-U.T.L.

SMITH, P., Cowie, H. e Berdondini, (1994). Co-operation and bullying. *In Groups in Schools*, Kutnick, P. & Rogers, C. (Eds.) (pp. 195-210). London: Cassell, Education,.

SMITH, P. K. & Sharp, S. (1998). The problem of bullying. *In* Smith, P. K. & Sharp, S. (Eds.), *School Bullying. Insights and Perspectives* (pp. 1-19). London, Routldege.

SMITH, P. K. (1998). El Proyecto Sheffield. No sufráis en silencio. *Cuadernos de Pedagogia*, N.° 270, Junio, 51-59.

SMITH, P. K. *et al*. (1998). Working directly with pupils involved in bullying situations. *In* Smith, P. K. & Sharp, S. (Eds.), *School Bullying. Insights and Perspectives* (pp. 193-212). London, Routldege.

STEINBERG, L., Blatt-Eisengart, I. & Cauffman, E. (2006). Patterns of Competence and Adjustment Among Adolescents from Authoritative, Authoritarian,

Indulgent, and Neglectful Homes: A Replication in a Sample of Serious Juvenile Offenders. Journal of Research on Adolescence, Volume 16, Number 1, March 2006, pp. 47-58 (12)

TABORDA SIMÕES, M. C., Fonseca, A. C., Formosinho, M. D., Rebelo, J. A. & Ferreira, A. G. (2000). Comportamento anti-social e problemas emocionais: dados de uma comparação entre alunos do ensino público e do ensino privado. *Revista Portuguesa de Pedagogia,* XXXIV, 1,2,3, pp. 437-453.

TABORDA SIMÕES, M. C., Formosinho, M. D. & Fonseca, A. C. (2000). Efeitos do contexto escolar em crianças e adolescentes. Insucesso e comportamentos anti-sociais. *Revista Portuguesa de Pedagogia,* XXXIV, 1,2,3, pp. 405-436.

TATTUM, D. & Tattum, E. (1997). Bullying: A Whole-School response. *In* Jones, N. & Jones, E. B. (Eds.), *Learning to Behave. Curriculum and Whole School Management Approaches to Discipline* (pp. 67-84). London: Kogan Page.

TEDDLIE, C. (1994). The Integration of Classroom and School Process Data in School Effectiveness Research. *In* Reynolds, D. *et al.*, *Advances in School Effectiveness Research and Practice* (pp. 85-110). Oxford: Pergamon.

VAZ DA SILVA, F. (1998). Nós brincamos mas também trabalhamos. Um estudo sobre os interesses e as estratégias dos alunos de uma turma difícil. *Análise Psicológica*, Vol. XVI, n.° 4, pp. 553-567.

VEIGA, F. (1995). *Transgressão e Autoconceito dos Jovens na Escola.* Lisboa: Fim de Século.

VEIGA, F. H. (1999). *Indisciplina e Violência na Escola: Práticas Comunicacionais para Professores e Pais.* Coimbra: Livraria Almedina.

VEIGA, F. H. (1988). Disciplina materna, autoconceito e rendimento escolar. *Cadernos de Consulta Psicológica*, 4, pp. 47-56.

VEIGA SIMÃO, A. M. e Freire, I. (2007). *A Gestão do Conflito no Processo Formativo.* Lisboa: Instituto de Emprego e Formação Profissional.

VETTENBURG, N. (2000a). Rapport général. In F. Dubet & N. Vettenberg, N. (Org.). *Violence á l'École*. Belgique: Conseil de l'Europe.

VETTENBERG, N. (2000b). Violência nas escolas: uma abordagem centrada na prevenção. *Revista Portuguesa de Pedagogia*, Ano XXXIV, n.° 1, 2, 3, pp. 223-247.

VICENTE, A., Santos, E., Simões, H. (2002). *A indisciplina na aula – caracterização das participações disciplinares nos Anos Lectivos de 2000/2001 e 2001/2002). Estudo de caso na E.S.F.L.* (Inédito).

VICENTE, M. J. (2000). *A importância do treino de competências assertivas com alunos adolescentes*. Lisboa: Universidade Católica Portuguesa (dissertação de mestrado).

WHITNEY, I. & Smith, P. K. (1993). A survey of the nature and extent of bullying in junior/middle and secondary schools. *Educational Research*, vol. 35, number 1, 3-25.

WOODS, P. (1979). *The Divided School.* London: Routledge and Kegan Paul.

ÍNDICE

INTRODUÇÃO 5

I PARTE

O DESVIO ÀS REGRAS DE TRABALHO NA AULA. – 1.º NÍVEL DE INDISCIPLINA

1.1. As regras da aula 11
1.2. Que alunos infringem as regras da aula? 19
1.3. Com que professores se infringem as regras da aula? 25
1.4. Que factores predominam na infracção às regras da aula? 31
1.5. Que funções possuem os desvios às regras? 42

II PARTE

PERTURBAÇÃO DAS RELAÇÕES ENTRE PARES – 2.º NÍVEL DE INDISCIPLINA

2.1. As regras e os valores em causa 62
2.2. Características dos alunos agressores e vítimas 69
2.3. Que «tipos» de professores são aqueles em cujas aulas ocorrem mais frequentemente estes problemas? 75
2.4. Que factores são preponderantes? 76
2.5. Que funções? Que significados? 83

III PARTE

PROBLEMAS DA RELAÇÃO PROFESSOR-ALUNO – 3.º NÍVEL DE INDISCIPLINA

3.1. Regras e valores da relação com o professor 87
3.2. Os alunos que põem em causa a relação com o professor 89
3.3. Os professores implicados em problemas da relação com alunos . 92

3.4. Os factores de risco da problemática relacional 99
3.5. Que funções atribuir aos problemas da relação? 123

IV PARTE

A INTERVENÇÃO

4.1. Prevenção primária 134
4.2. Prevenção secundária 151
4.3. Prevenção terciária 162

V PARTE

INSTRUMENTOS DE REFLEXÃO E ORIENTAÇÃO DA PRÁTICA

5.1. Casos e incidentes críticos 170
5.2. Auxiliares de diagnóstico para professores 178
5.2.1. Questionário de auto-observação – A Prevenção da Indisciplina na Aula 178
5.2.2. Questionário de auto-observação – Qual é o meu estilo de gestão de sala de aula? 190
5.2.3. ABC da Prevenção da Indisciplina 192
5.3. Auxiliares de diagnóstico para alunoa 193
5.3.1. Instrumento de auto-observação para alunos em actividades de aula 193
5.3.2. Um contrato comportamental 195
5.3.3. Sinais de alerta de situações de maus tratos entre iguais 196

Bibliografia 203

ÍNDICE DOS QUADROS

Quadro 1.1. As regras na aula 16

Quadro 2.1. Aspectos do clima de escola e percursos escolares 81

Quadro. 3.1. Traços gerais do comportamento de 2 professoras estagiárias com problemas disciplinares 95

Quadro 3.2. Traços gerais do comportamento de 2 professoras com diversos anos de experiência 97

Quadro 3.3. Atitudes e comportamentos injustos dos professores (segundo a perspectiva dos alunos) 117

Quadro 4.1. Ligação escola-família 143